唐·柳公权玄秘塔碑

中国书法名碑名帖原色放大本

胡紫桂 主编

全国百佳图书出版单位
湖南美术出版社

图书在版编目（CIP）数据

唐·柳公权玄秘塔碑 / 胡紫桂主编. -- 长沙：湖南美术出版社，2014.12

（中国书法名碑名帖原色放大本）

ISBN 978-7-5356-7117-2

Ⅰ. ①唐… Ⅱ. ①胡… Ⅲ. ①楷书－碑帖－中国－唐代 Ⅳ. ①J292.24

中国版本图书馆 CIP 数据核字（2014）第 311676 号

唐·柳公权玄秘塔碑

（中国书法名碑名帖原色放大本）

出 版 人：黄 啸

主　　编：胡紫桂

副 主 编：成 琢 陈 麟

编　　委：冯亚君 邹方斌 倪丽华 齐 飞

责任编辑：成 琢 邹方斌

责任校对：徐 晶

装帧设计：造书房

版式设计：田 飞 彭 莹

出版发行：湖南美术出版社

（长沙市东二环一段 622 号）

经　　销：全国新华书店

印　　刷：成都中嘉设计印务有限责任公司

（成都蛟龙工业港双流园区李渡路街道 80 号）

开　　本：889×1194　1/8

印　　张：6.5

版　　次：2014 年 12 月第 1 版

印　　次：2019 年 9 月第 5 次印刷

书　　号：ISBN 978-7-5356-7117-2

定　　价：45.00 元

邮购联系：028-85939832　邮编：610041

网　　址：http://www.scwj.net

电子邮箱：contact@scwj.net

如有倒装、破损、少页等印装质量问题，请与印刷厂联系斢换。

联系电话：028-85939809

柳公权（778—865），字诚悬，京兆华原（今陕西铜川）人。进士出身，曾任翰林院侍书学士、弘文馆学士、中书舍人等职，官至太子太师。他为人正直，敢于直言进谏。以善书著称，历任三朝侍书（宫廷最高专职书法教师），长达二十年之久。唐穆宗尝问柳公权用笔之法，他回答道：『用笔在心，心正则笔正。』穆宗为之动容。柳公权的书法，尤以楷书著称，因此被誉为四大楷书家之一。他的书法广涉魏晋及初唐诸家，受颜真卿的影响最大。在『二王』的遒媚秀逸和『颜体』的雍容雄浑之间，形成了以笔力强健、骨势洞达而见长的『柳体』书法风格，终与颜真卿齐名，人称『颜柳』，后世常有『颜筋柳骨』之誉。据说当时的公卿大臣树碑，将得不到柳公权书丹视作子孙不孝。的确，他平生所书碑版很多，其中《神策军碑》、《玄秘塔碑》堪称『柳体』楷书的经典之作。

《玄秘塔碑》，全称《唐故左街僧录内供奉三教谈论引驾大德安国寺上座赐紫大达法师玄秘塔碑铭并序》。唐开成元年（836），著名高僧端甫大法师圆寂，文宗皇帝感其功德，赐谥号『大达』法师，并建『玄秘塔』，收其灵骨。《玄秘塔碑》立于唐会昌元年（841）十二月，原碑现存陕西西安碑林，为柳公权六十四时所书。其用笔劲健挺拔，势若力士扛鼎；点画干净利落，形如截铁斩金；结字穿插错落，巧富变化，中宫收拢，精神团聚，四面舒展，体势开张；行间气脉流贯，全碑无一懈笔，可谓精绝。

唐故左街僧錄內
供奉三教談論引
駕大德安國寺上
座賜紫大達法師

唐故左街僧录、内供奉、三教谈论、引驾大德、安国寺上座、赐紫大达法师

玄秘塔碑銘并序

江南西道都團練

觀察處置等使朝

散大夫兼御史中

玄秘塔碑铭并序。江南西道都团练、观察处置等使，朝散大夫、兼御史中

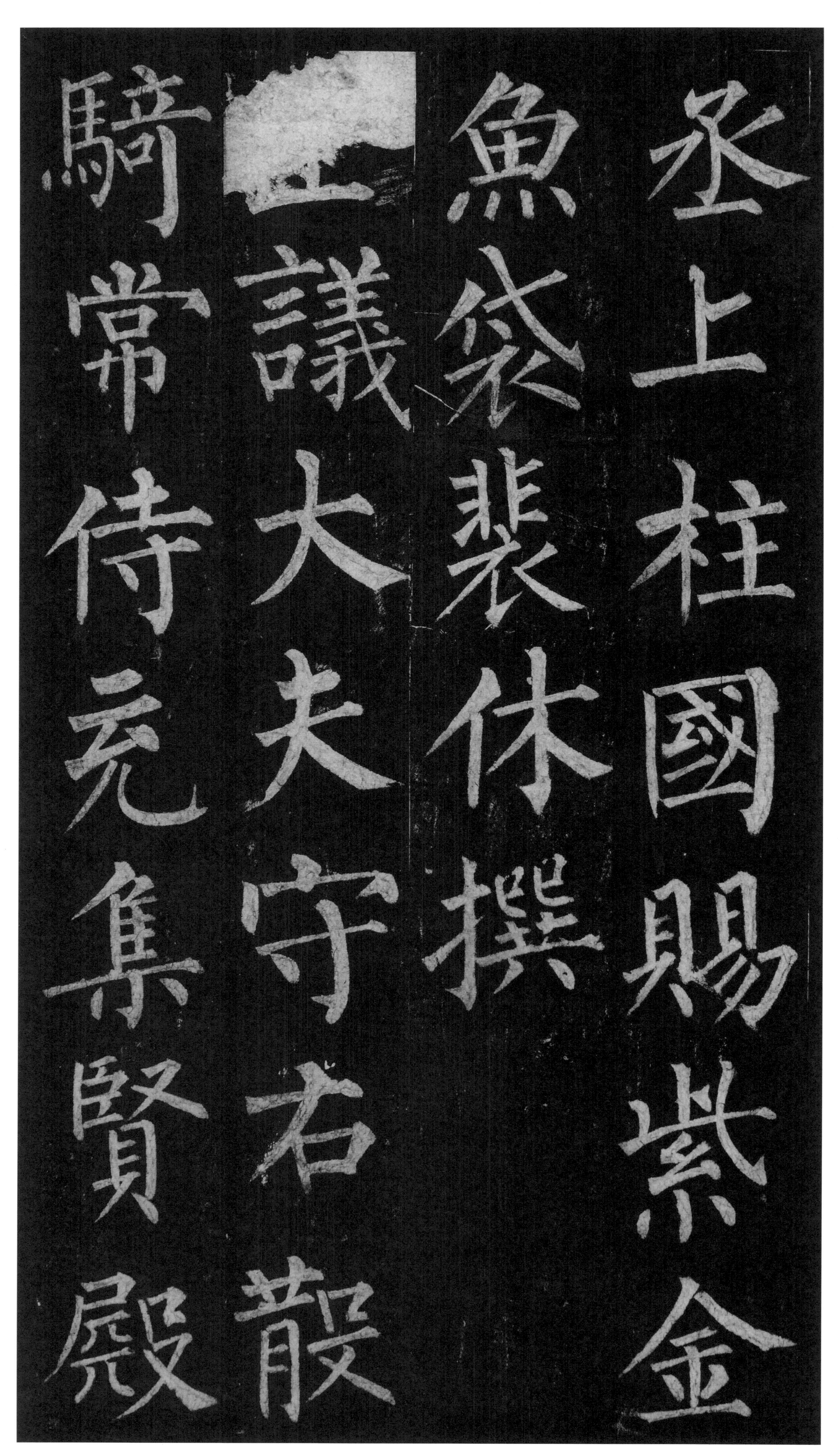
丞上柱國賜紫金
魚袋裴休撰
議大夫守右散
騎常侍充集賢殿

丞、上柱国、赐紫金鱼袋裴休撰。正议大夫、守右散骑常侍、充集贤殿

學士兼判院事上
柱國賜紫金魚袋
柳公權書并篆額
玄祕塔者大法師

学士、兼判院事、上柱国、赐紫金鱼袋柳公权书并篆额。玄秘塔者，大法师

端甫灵骨之所归也。於戏！为丈夫者，在家则张仁、义、礼、乐，辅天子以扶

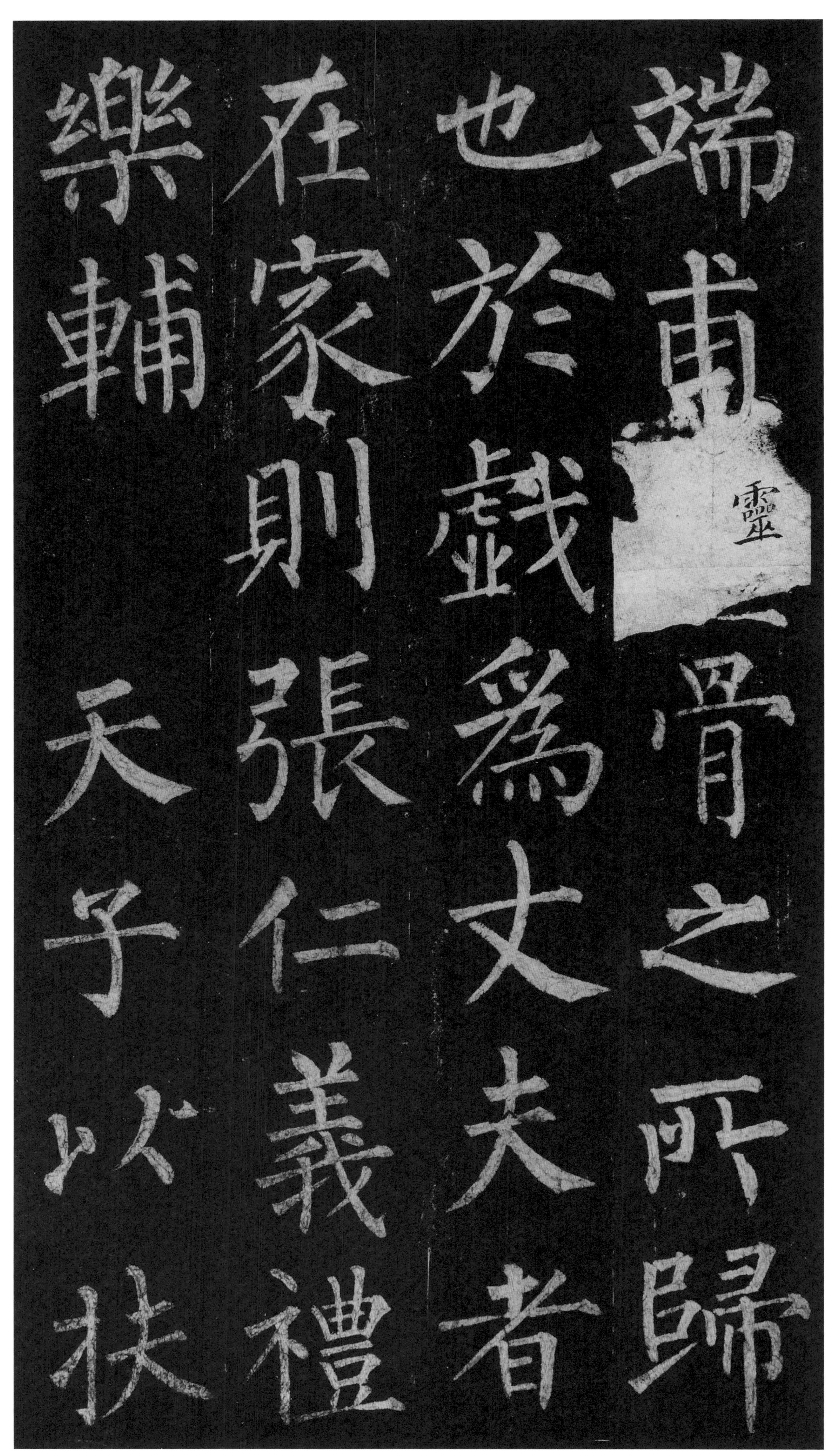

端甫靈骨之所歸
也於戲為丈夫者
在家則張仁義禮
樂輔天子以扶

世导俗；出家则运慈悲定慧，佐如来以阐教利生。舍此[无]以为丈夫

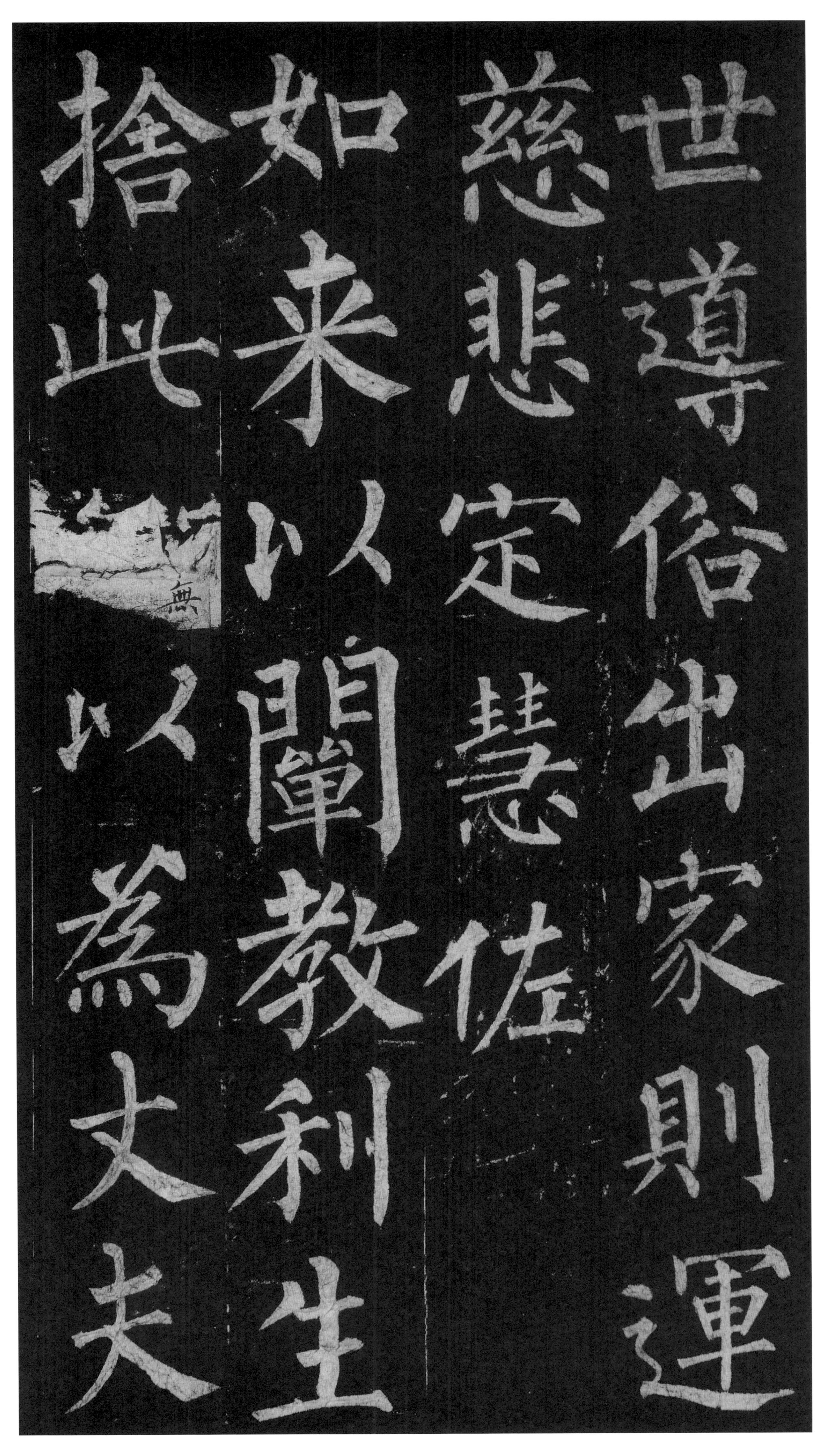
世導俗出家則運
慈悲定慧佐
如來以闡教利生
捨此無以爲丈夫

也背此無以爲達道也和尚其出家之雄乎天水趙氏世爲秦人初母

也，背此无以为达道也。和尚其出家之雄乎！天水赵氏，世为秦人。初，母

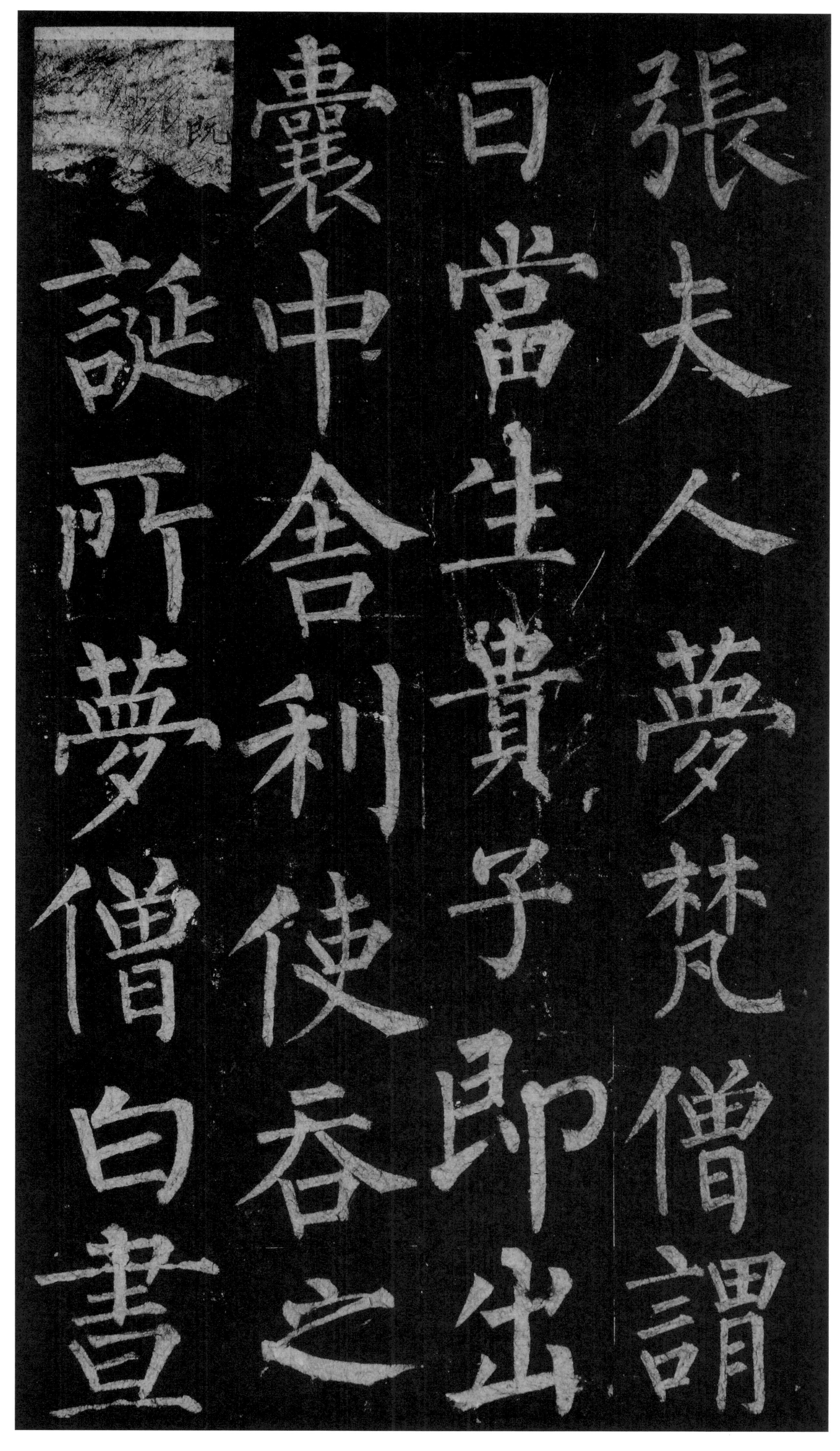

张夫人梦梵僧，谓曰：『当生贵子』。即出囊中舍利，使吞之。及诞，所梦僧白昼

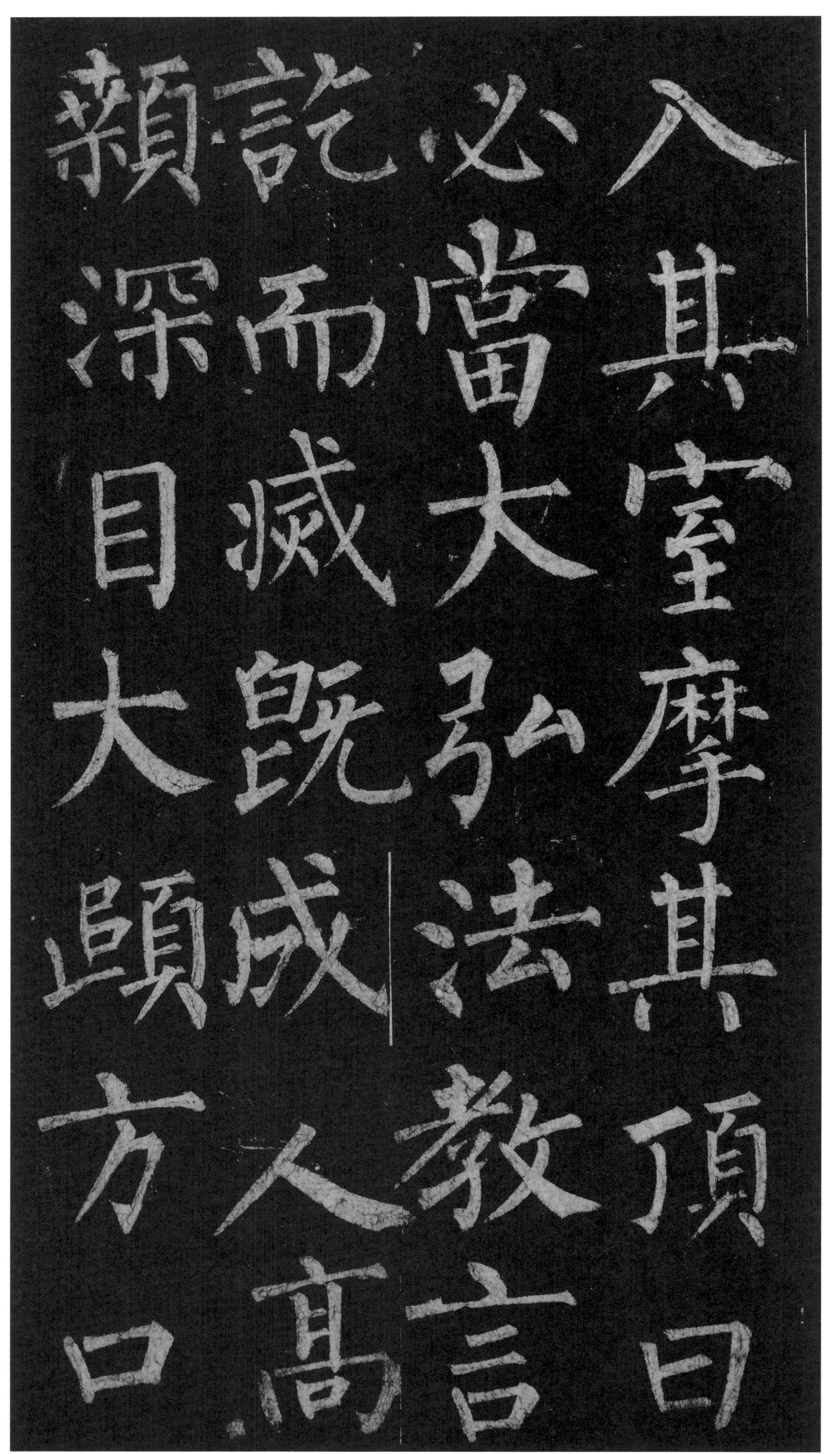

入其室，摩其顶曰：『必当大弘法教。』言讫而灭。既成人，高颡深目。大颐方口，

长六尺五寸，其音如钟。夫将欲荷如来之菩提，阖生灵之耳目，固必有

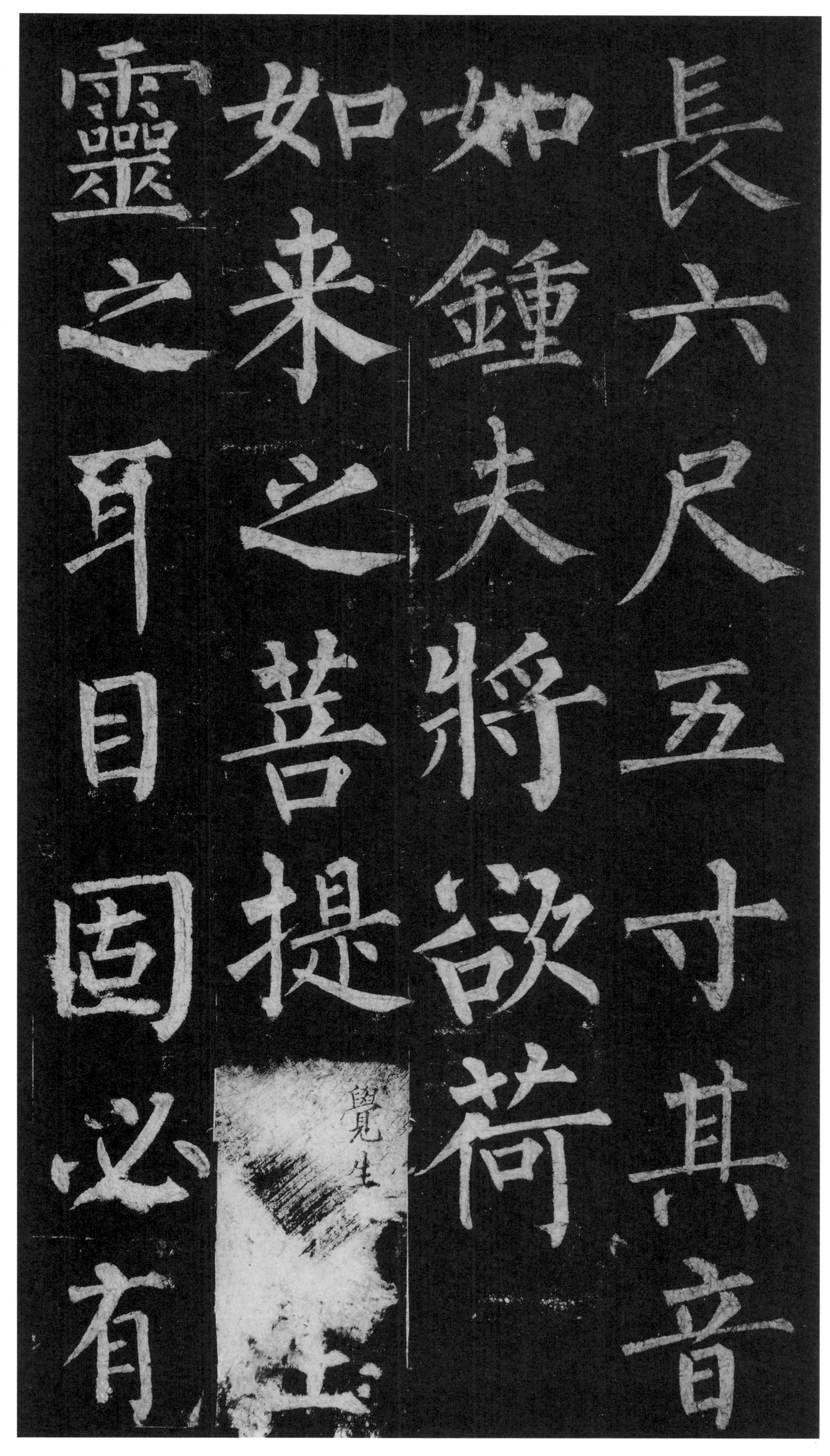

殊祥奇表歟始十
歲依崇福寺道悟
禪師為沙弥十七
正度為比丘隸安

殊祥奇表欤！始十岁，依崇福寺道悟禅师为沙弥。十七正度为比丘，隶安

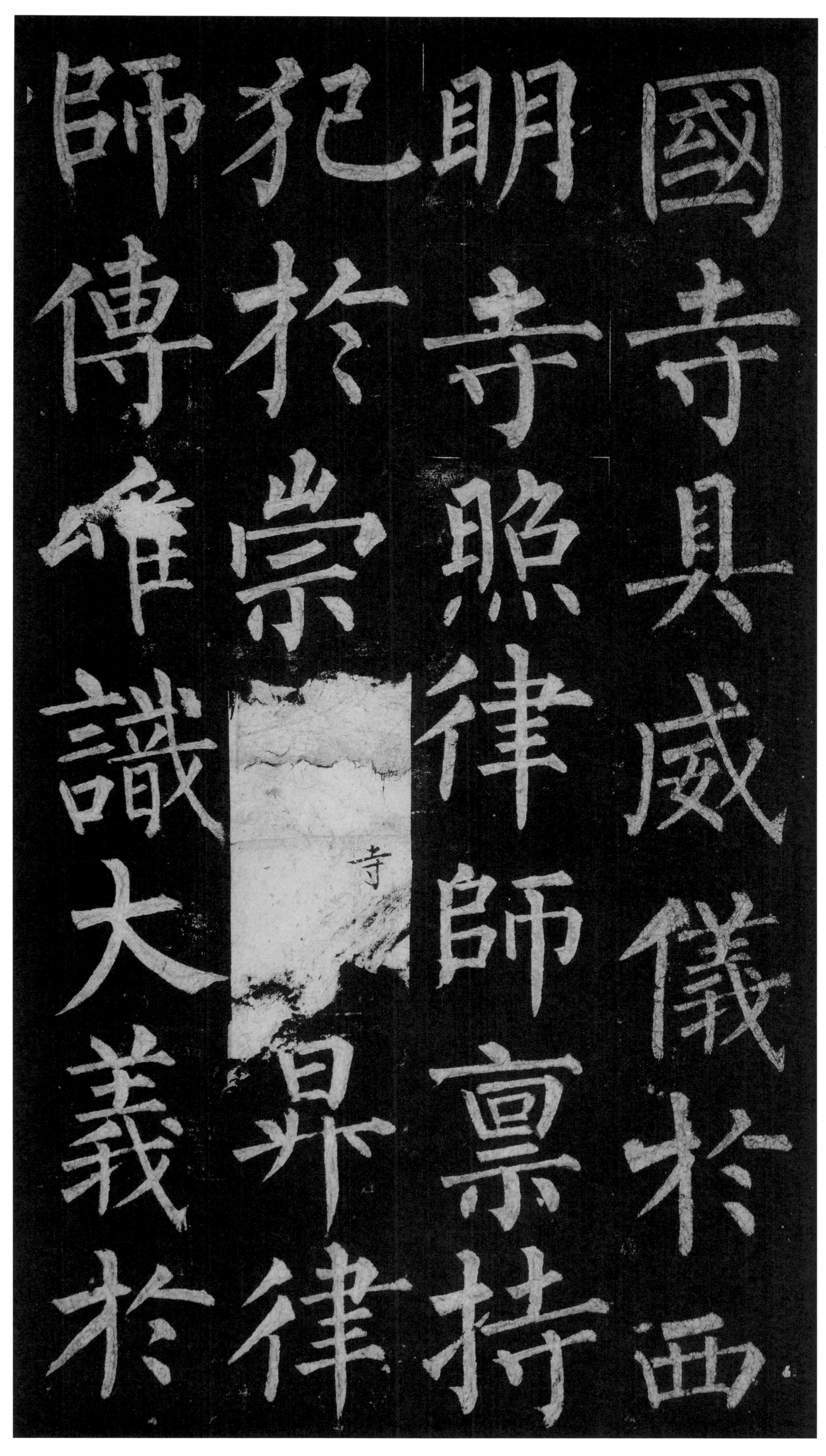

国寺。具威仪于西明寺照律师，禀持犯于崇福寺升律师；传《唯识》大义于

安國寺素法師通涅槃大旨於福林寺崟法師復夢梵僧以舍利滿琉璃

安国寺素法师，通《涅槃》大旨于福林寺崟法师。复梦梵僧以舍利满琉璃

器使吞之，且曰：『三藏大教，尽贮汝腹矣。』自是经律论无敌于天下。囊括川

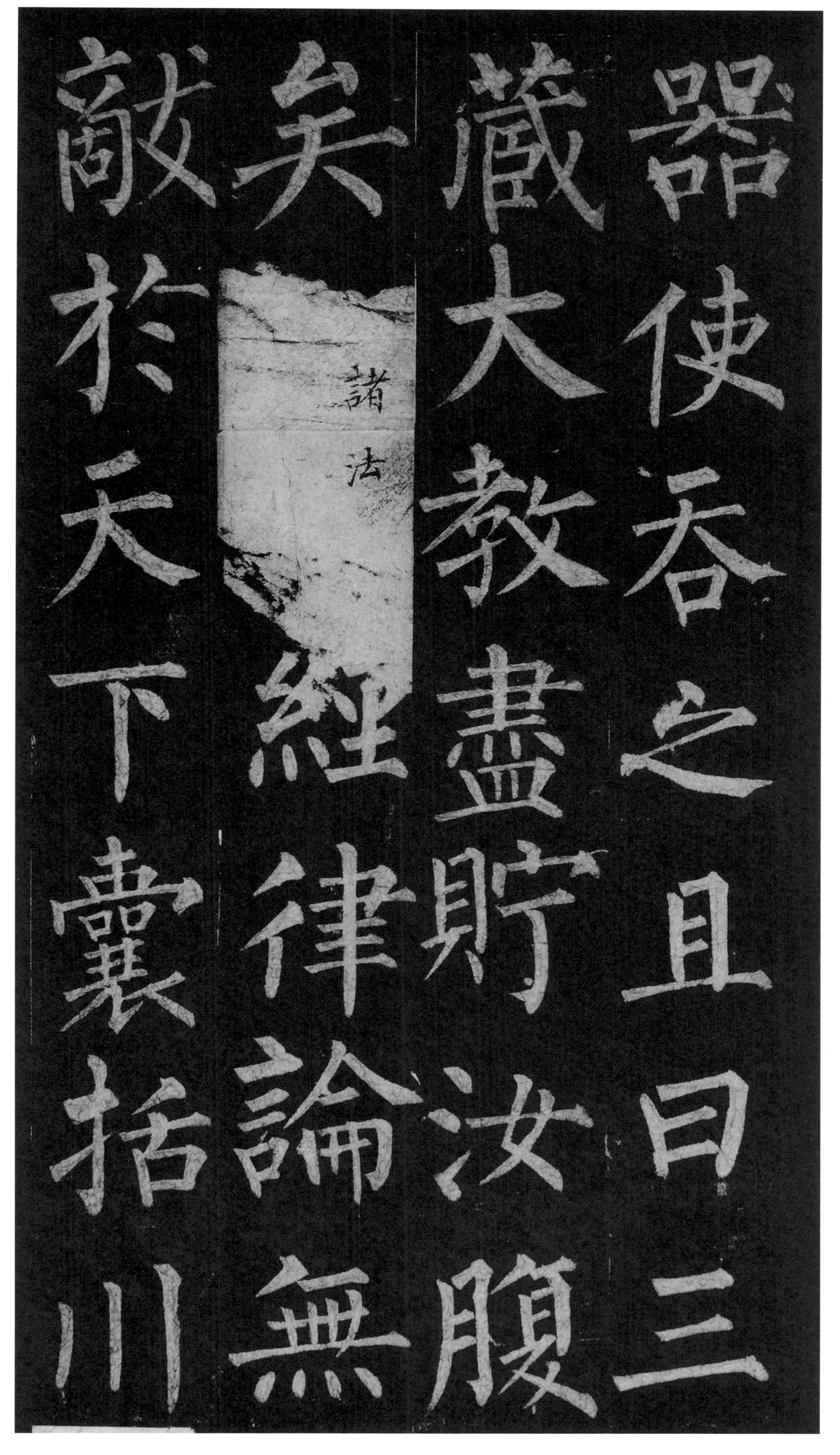

注逢源會委滔滔
然莫能濟其畔岸
矣夫將欲伐株杌
於情田雨甘露於

注，逢源会委，滔滔然莫能济其畔岸矣。夫将欲伐株杌于情田，雨甘露于

法种者，固必有勇智宏辩欤！无何，谒文殊于清凉，众圣皆现；演大经于太

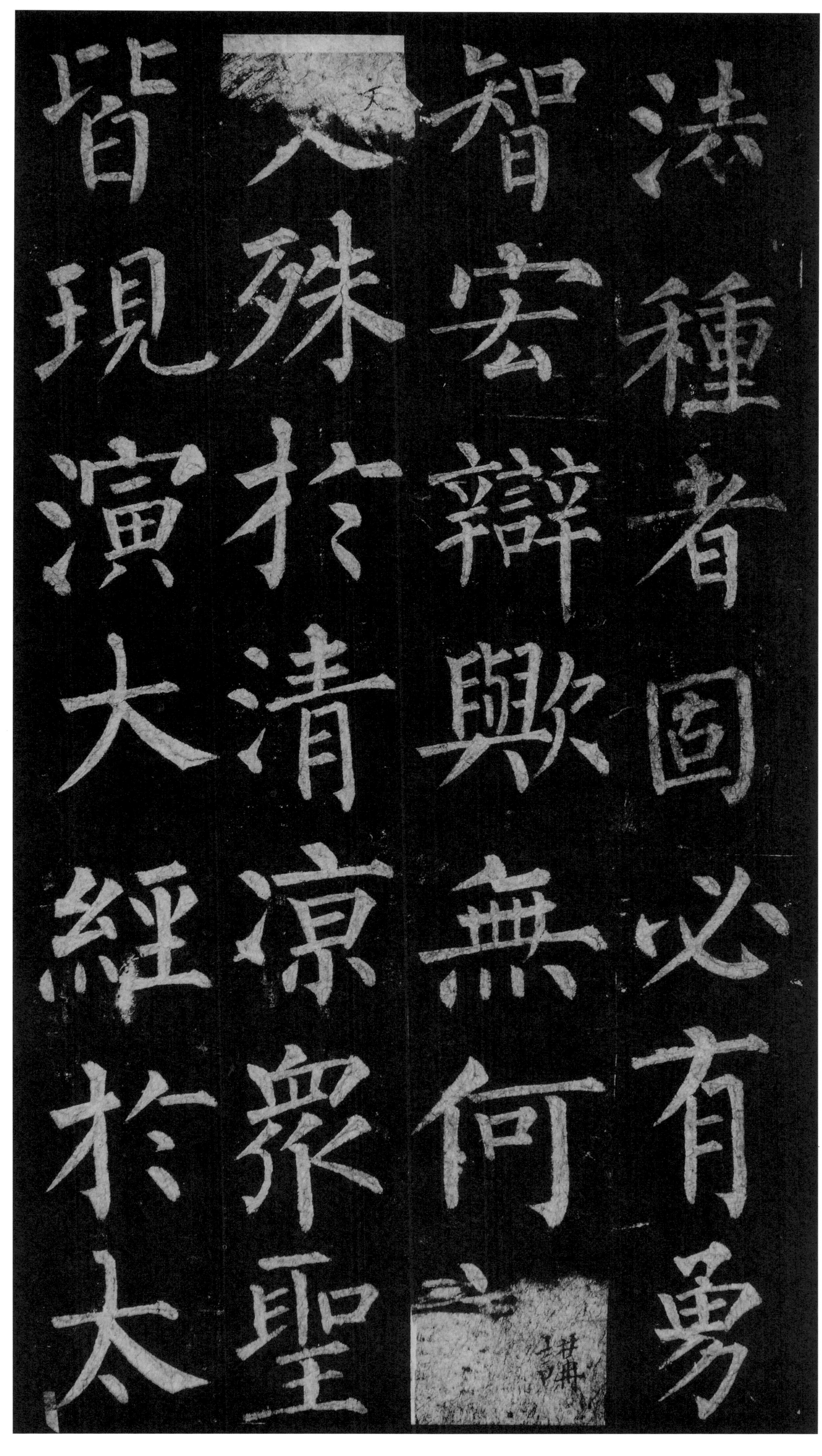

法種者固必有勇
智宏辯歟無何
殊於清涼衆聖
皆現演大經於太

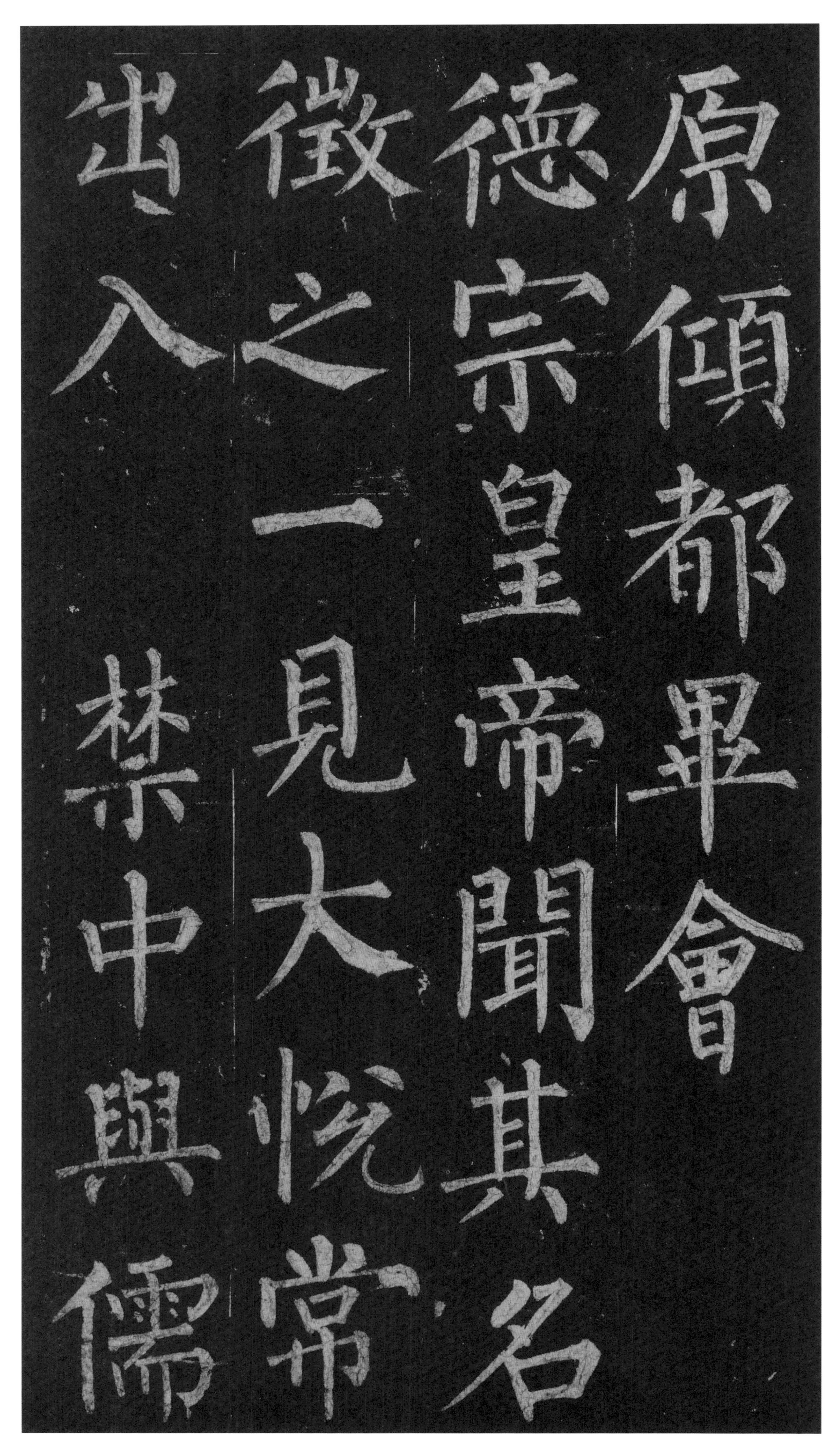
原傾都畢會
德宗皇帝聞其名
徵之一見大悅常
出入禁中與儒

原，倾都毕会。德宗皇帝闻其名，征之，一见大悦。常出入禁中，与儒

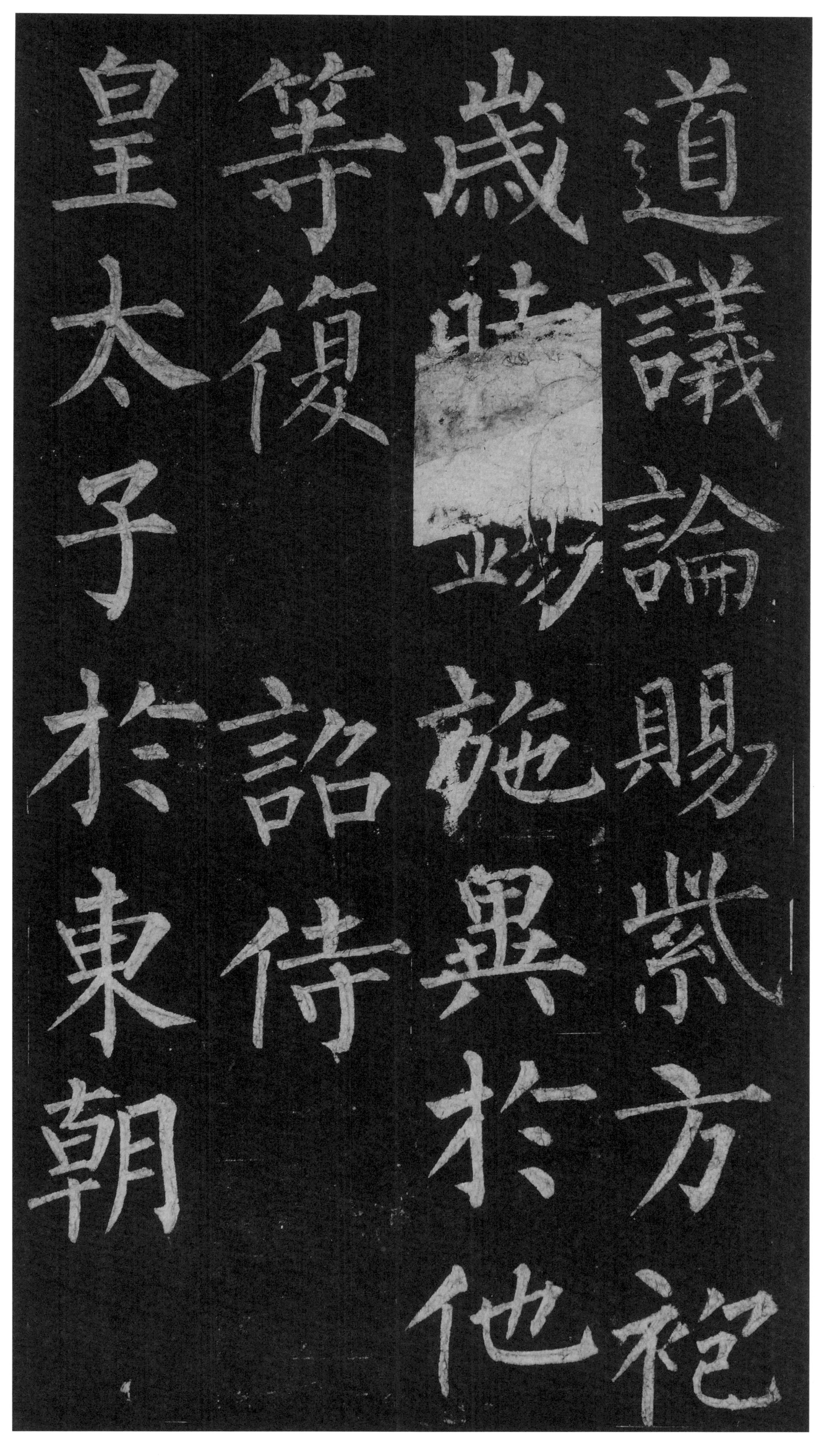

道议论。赐紫方袍，岁时锡施，异于他等。复诏侍皇太子于东朝，

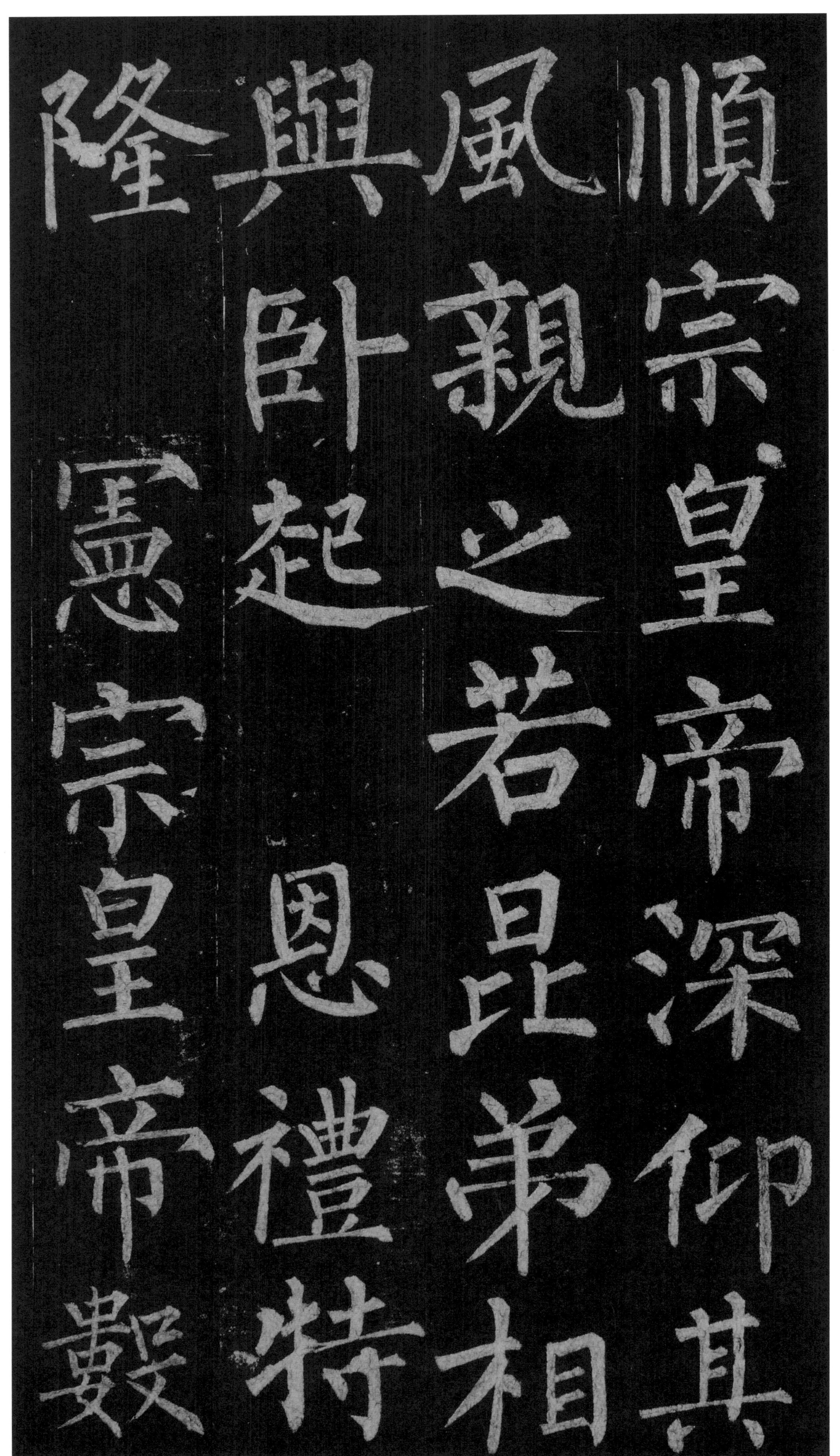

顺宗皇帝深仰其风，亲之若昆弟，相与卧起，恩礼特隆。宪宗皇帝数

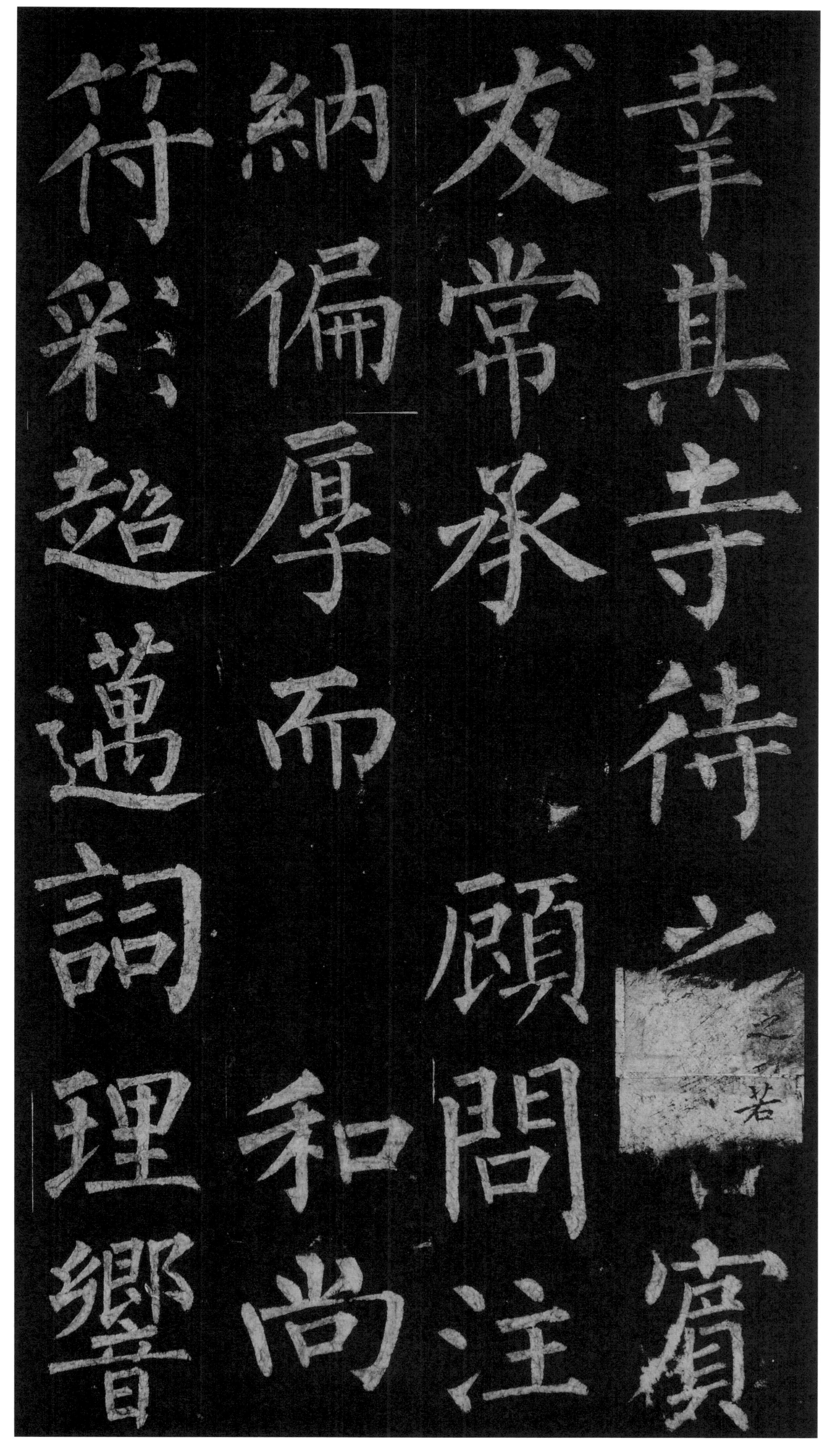

幸其寺，待之若宾友，常承顾问，注纳偏厚。而和尚符彩超迈，词理响

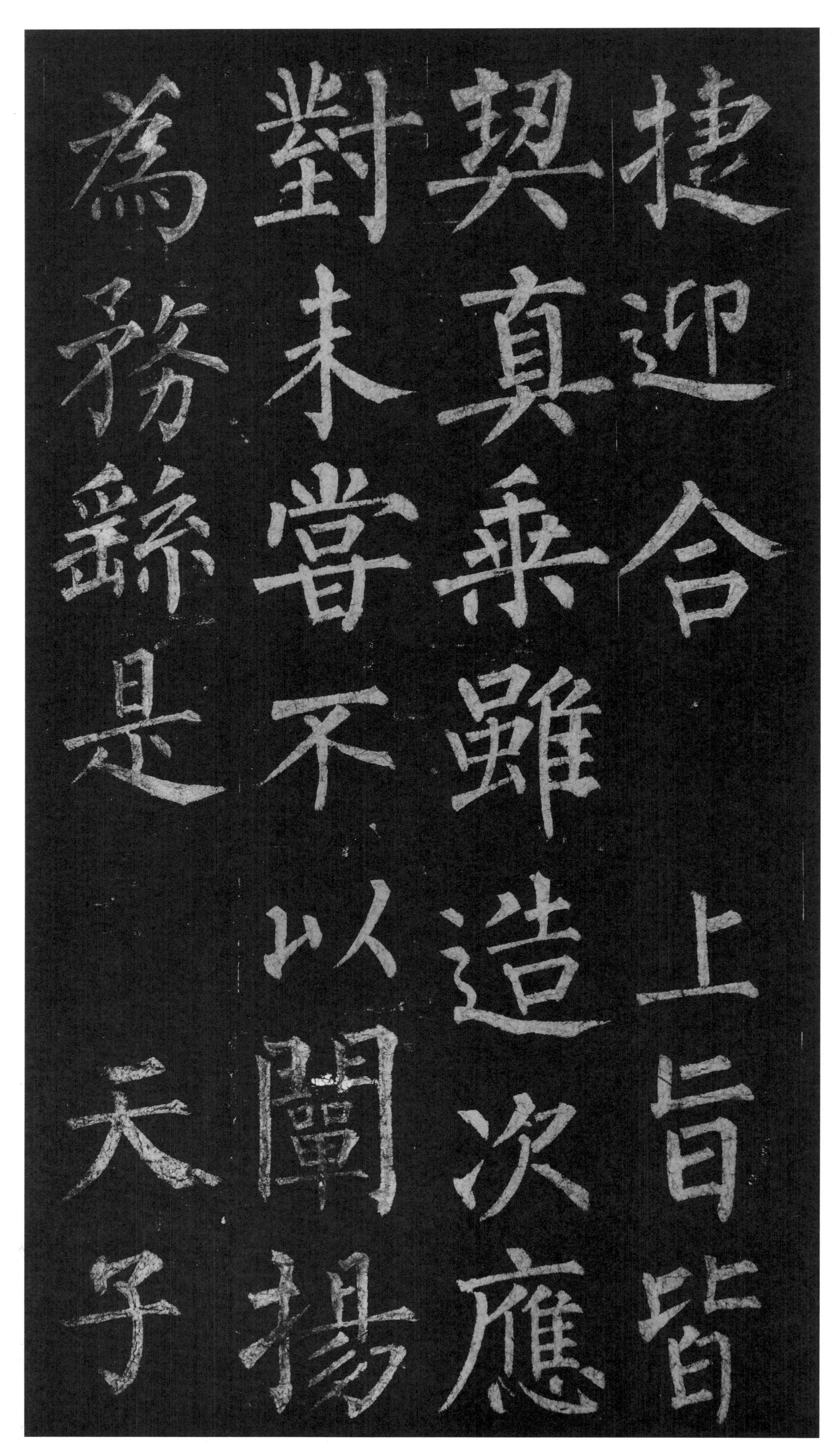
捷迎合上旨皆
契真乘雖造次應
對未嘗不以闡揚
爲務繇是天子

捷，迎合上旨，皆契真乘。虽造次应对，未尝不以阐扬为务。繇是天子

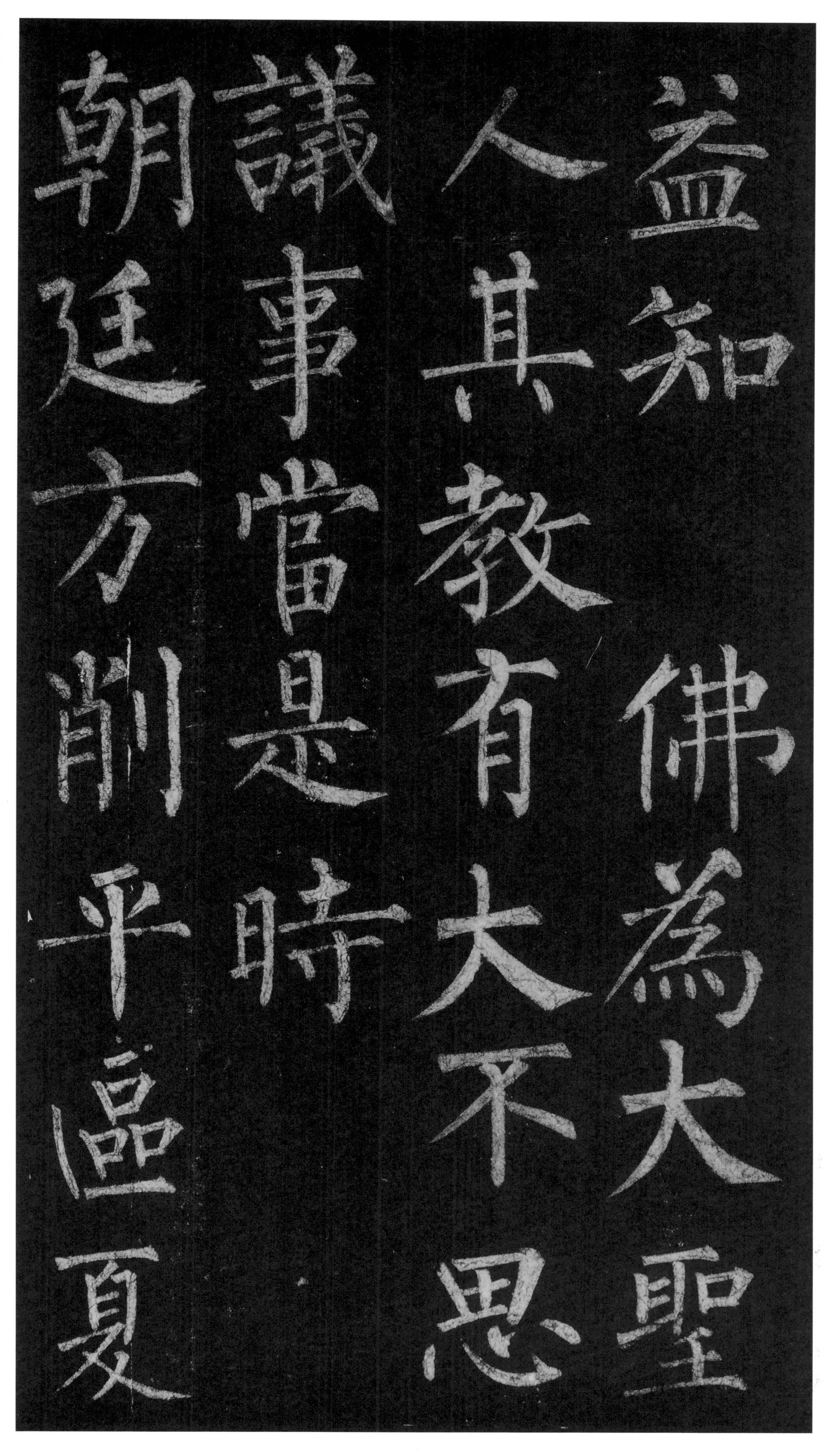
益知佛爲大聖
人其教有大不思
議事當是時
朝廷方削平區夏

益知佛为大圣人，其教有大不思议事。当是时，朝廷方削平区夏，

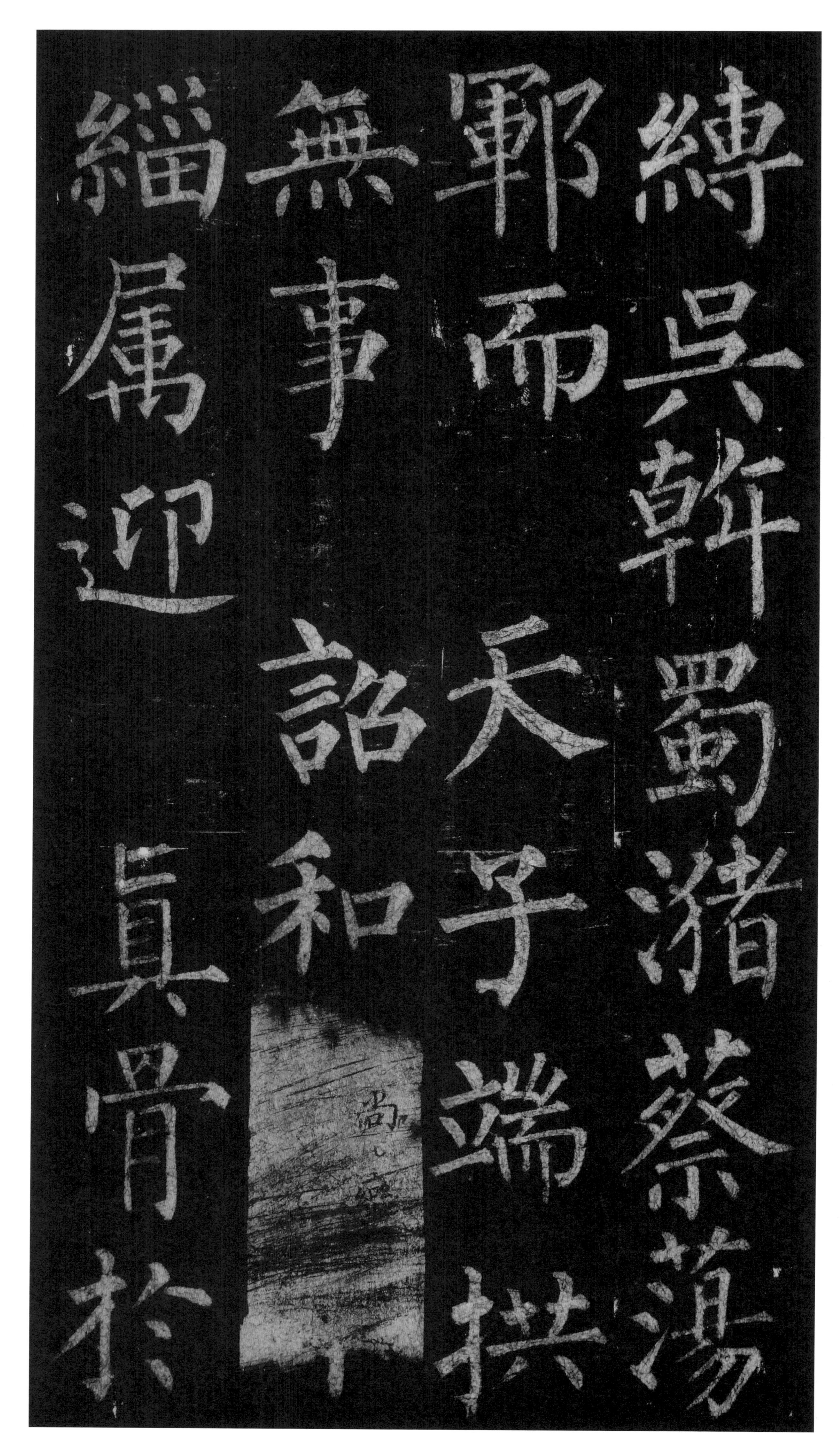

缚吴斡蜀，潴蔡荡郓。而天子端拱无事，诏和[尚率]缁属迎真骨于

灵山，开法场于秘殿，为人请福，亲奉香灯。既而刑不残，兵不黩，赤子

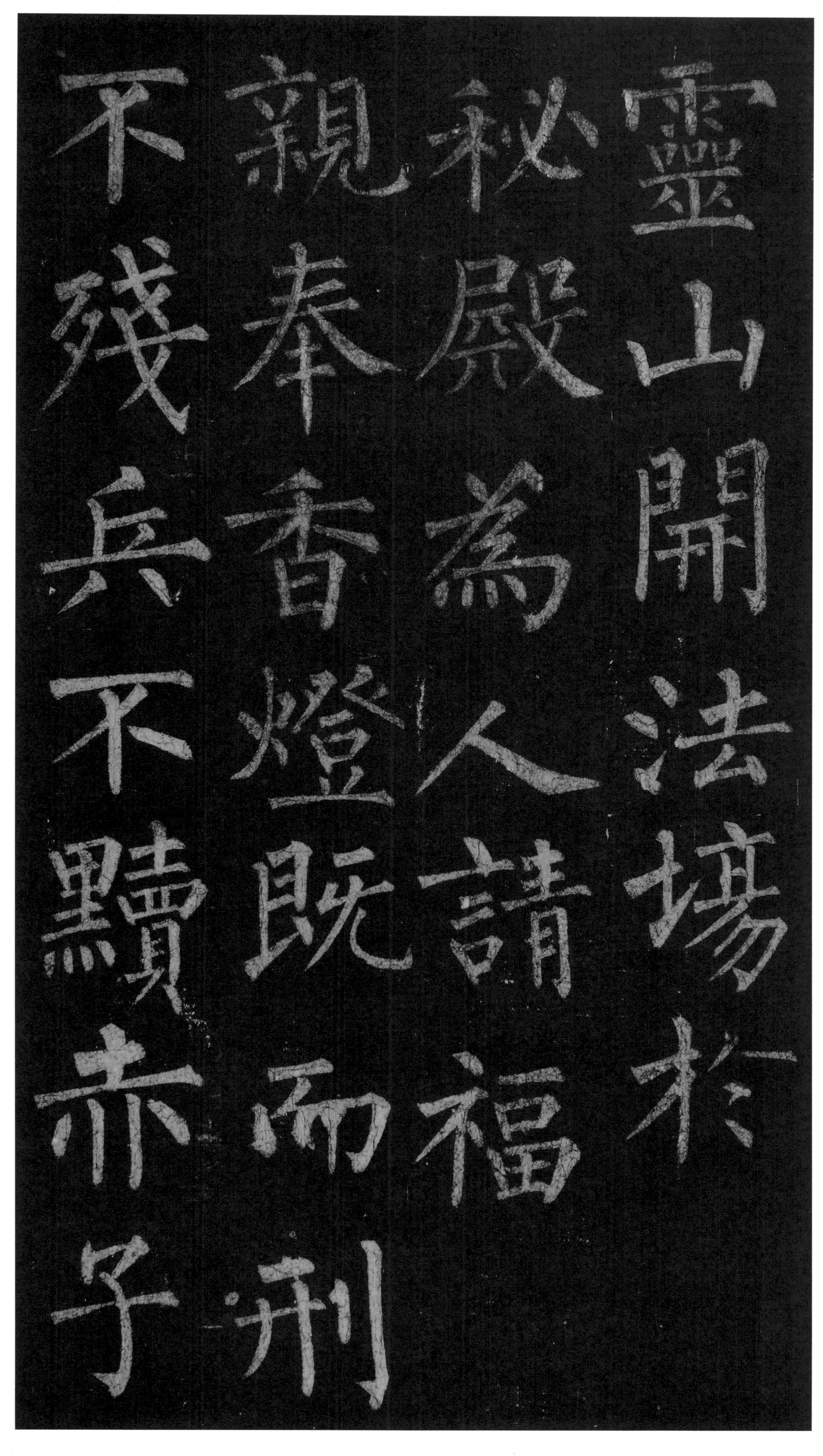

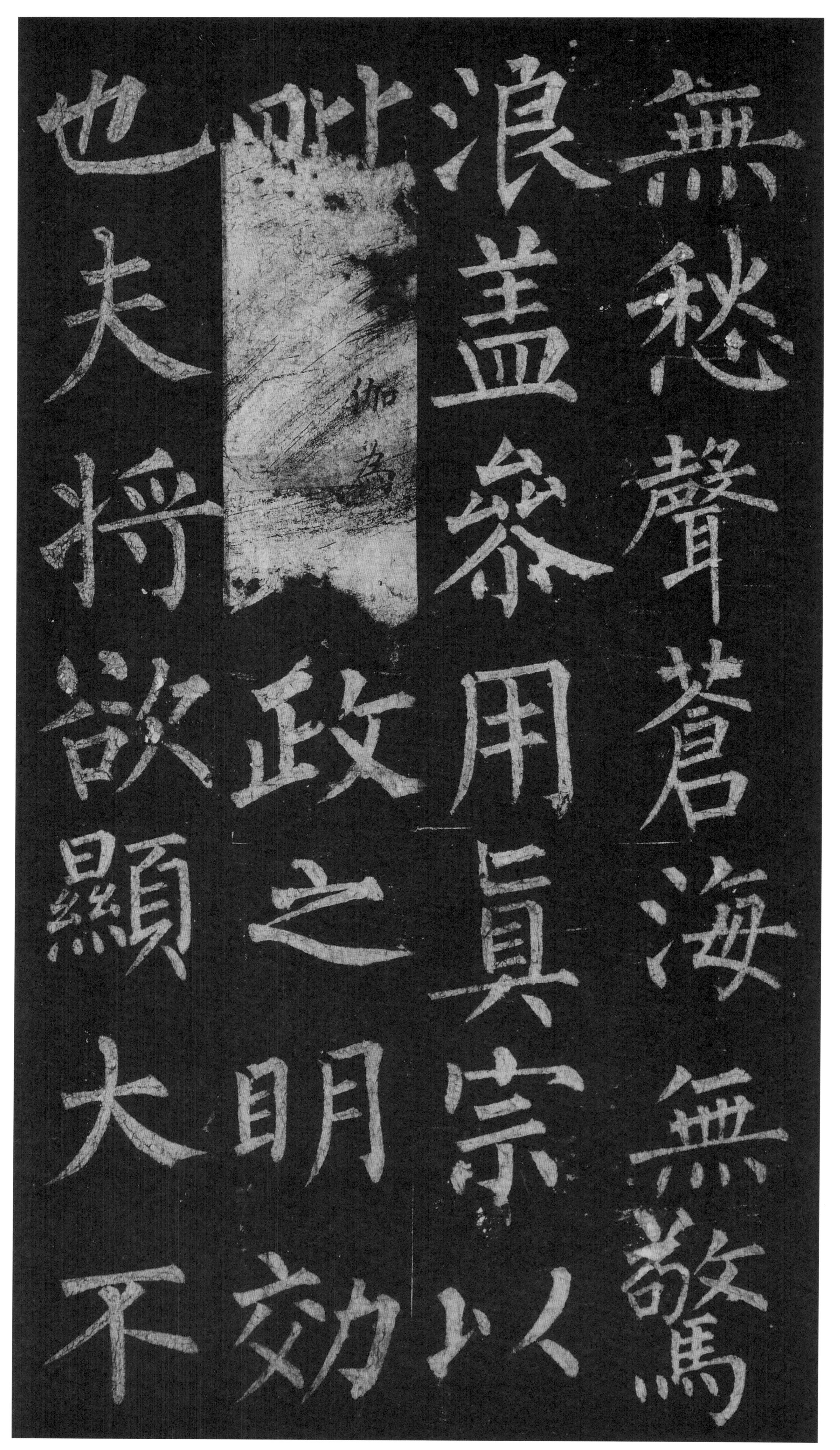
無愁聲蒼海無驚浪蓋參用眞宗以毗伽爲政之明效也夫將欲顯大不

无愁声，苍（沧）海无惊浪，盖参用真宗以毗伽为政之明效也。夫将欲显大不

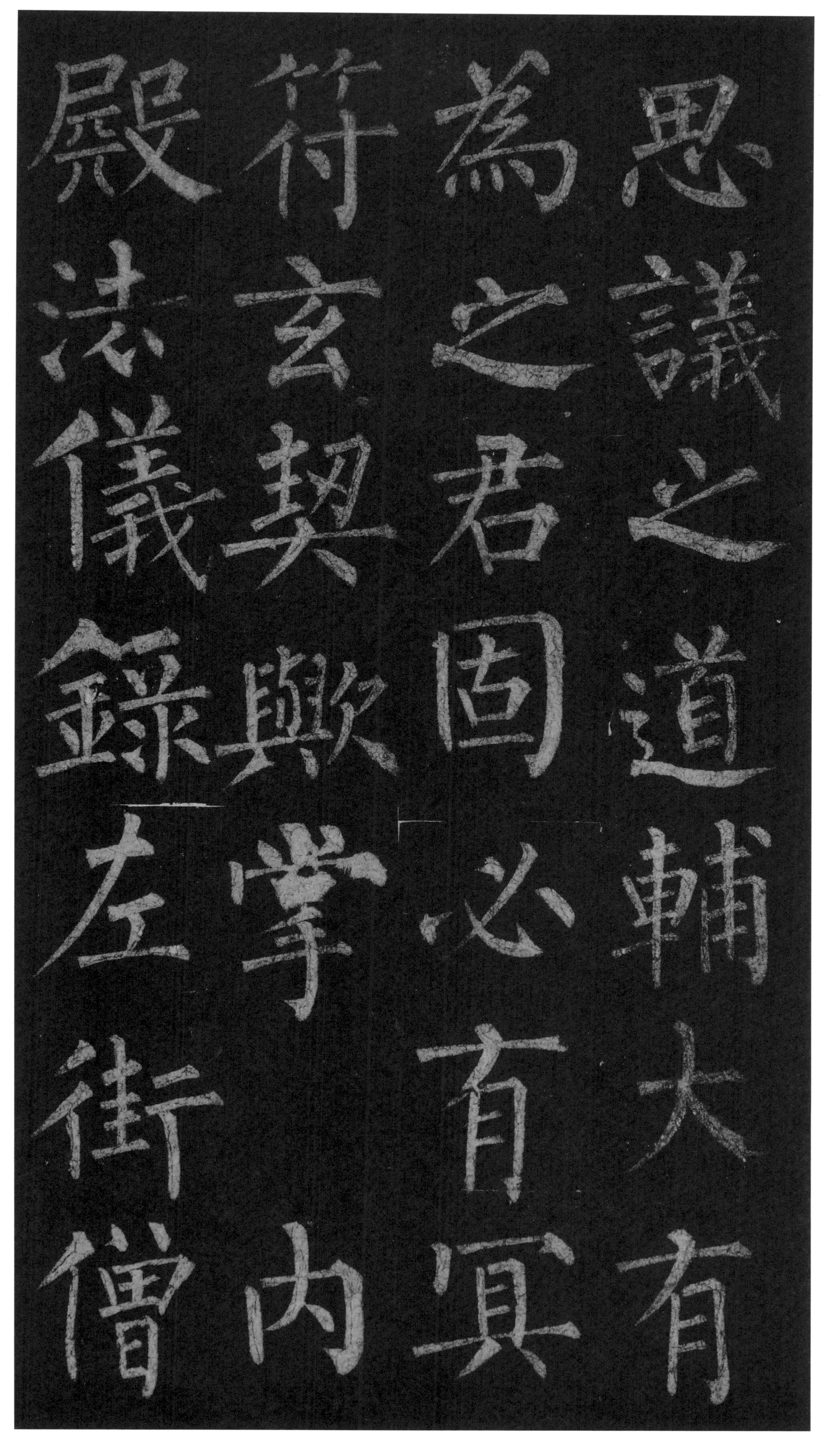

思议之道，辅大有为之君，固必有冥符玄契欤！掌内殿法仪，录左街僧

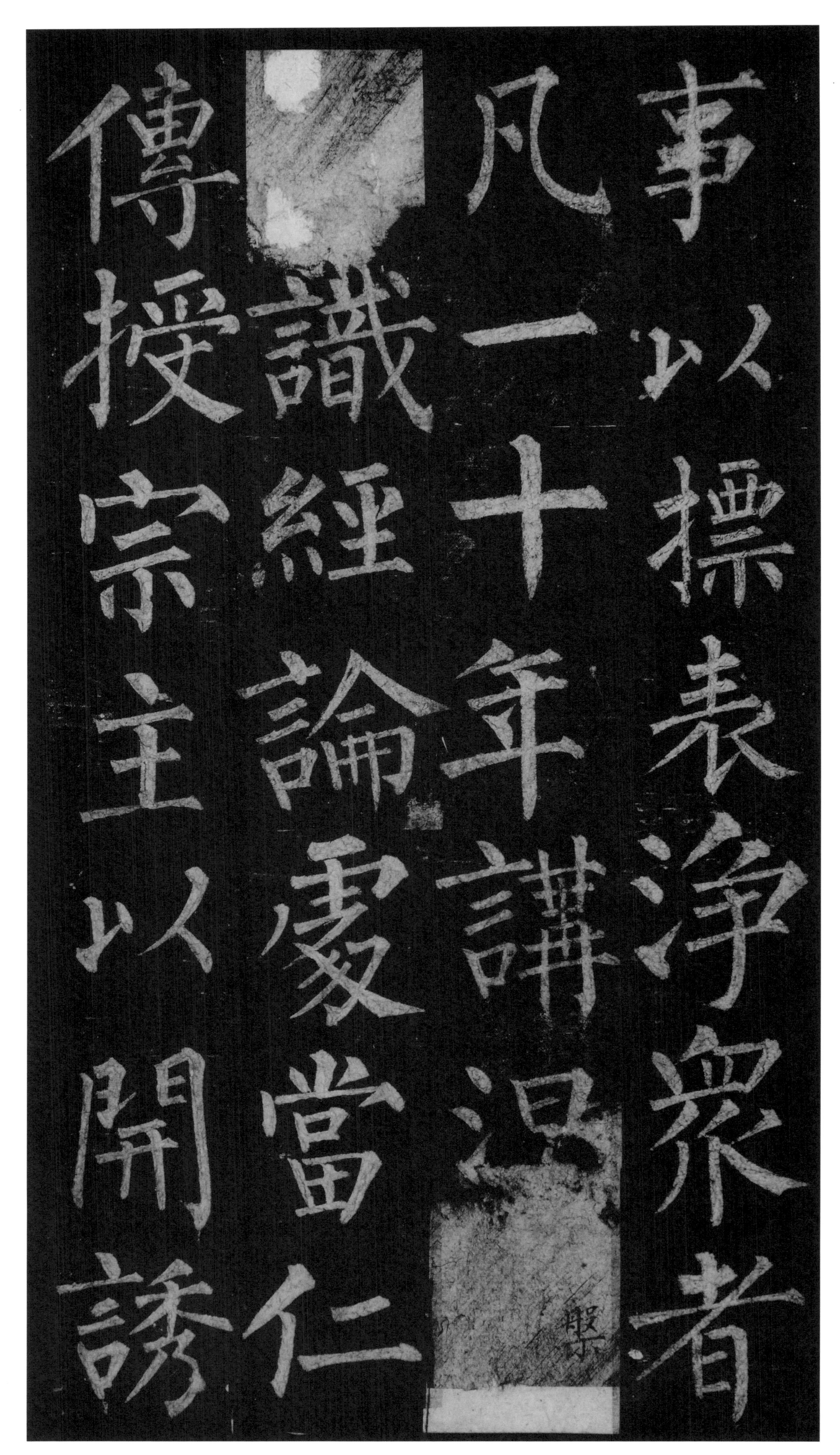

事，以摽（标）表净众者凡一十年。讲《涅槃》、《唯识》经论，处当仁，传授宗主以开诱

道俗者凡一百六十座。运三密于瑜伽，契无生于悉地。日持诸部十余万

道俗者凡一百六十座運三密於瑜伽契無生於悉地日持諸部十餘万

遍。指净土为息肩之地，严金经为报法之恩。前后供施数十百万，悉以崇

遍指淨土爲息肩
之地嚴金
舍
爲
報
法之恩前後供施
數十百萬悉以崇

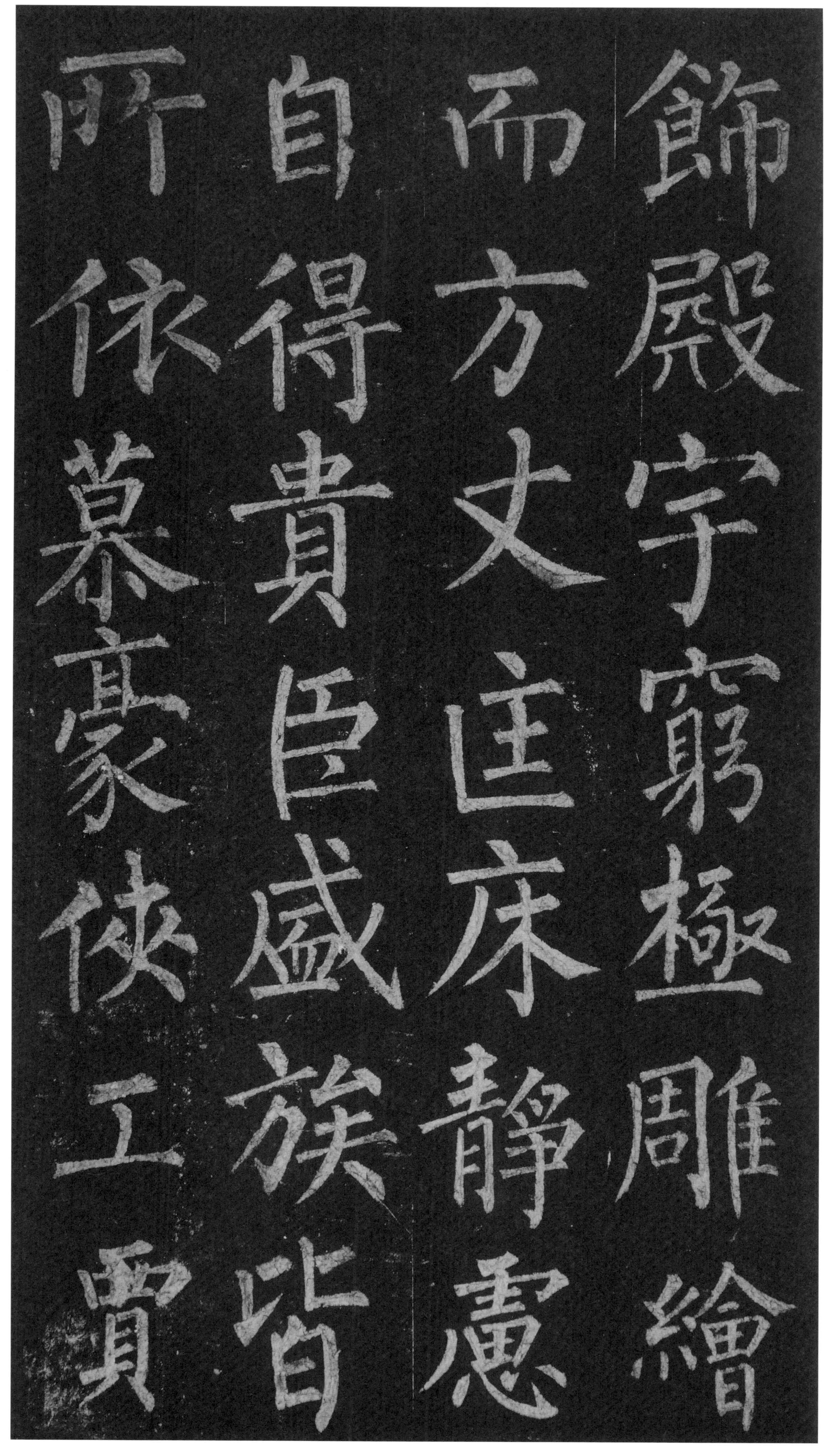

饰殿宇，穷极雕绘。而方丈匡床，静虑自得。贵臣盛族，皆所依慕；豪侠工贾，

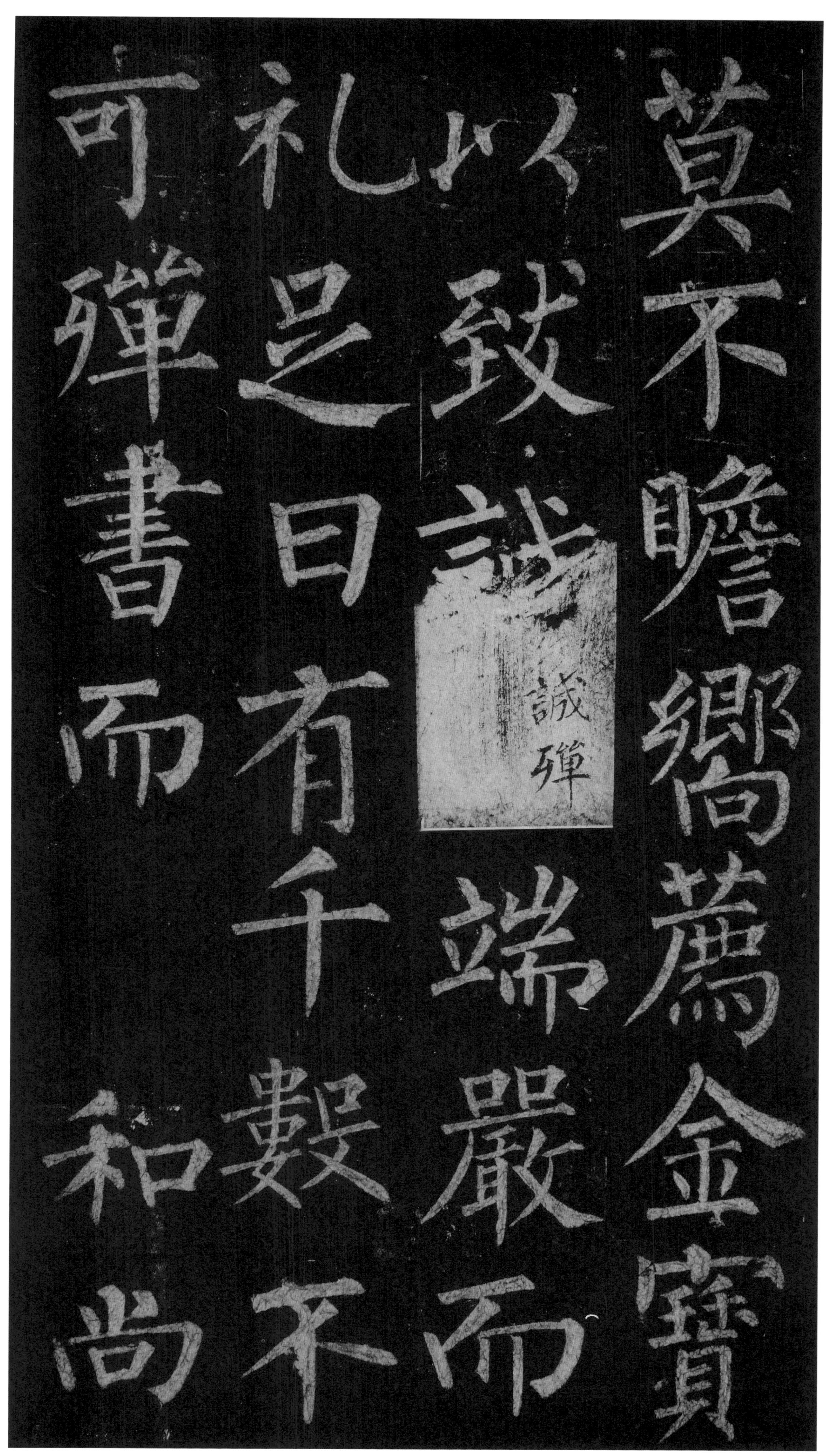

莫不瞻向。荐金宝以致诚，仰端严而礼足。日有千数，不可殚书。而和尚

即众生以观佛，离四相以修善，心下如地，坦无丘陵。王公舆台，皆以

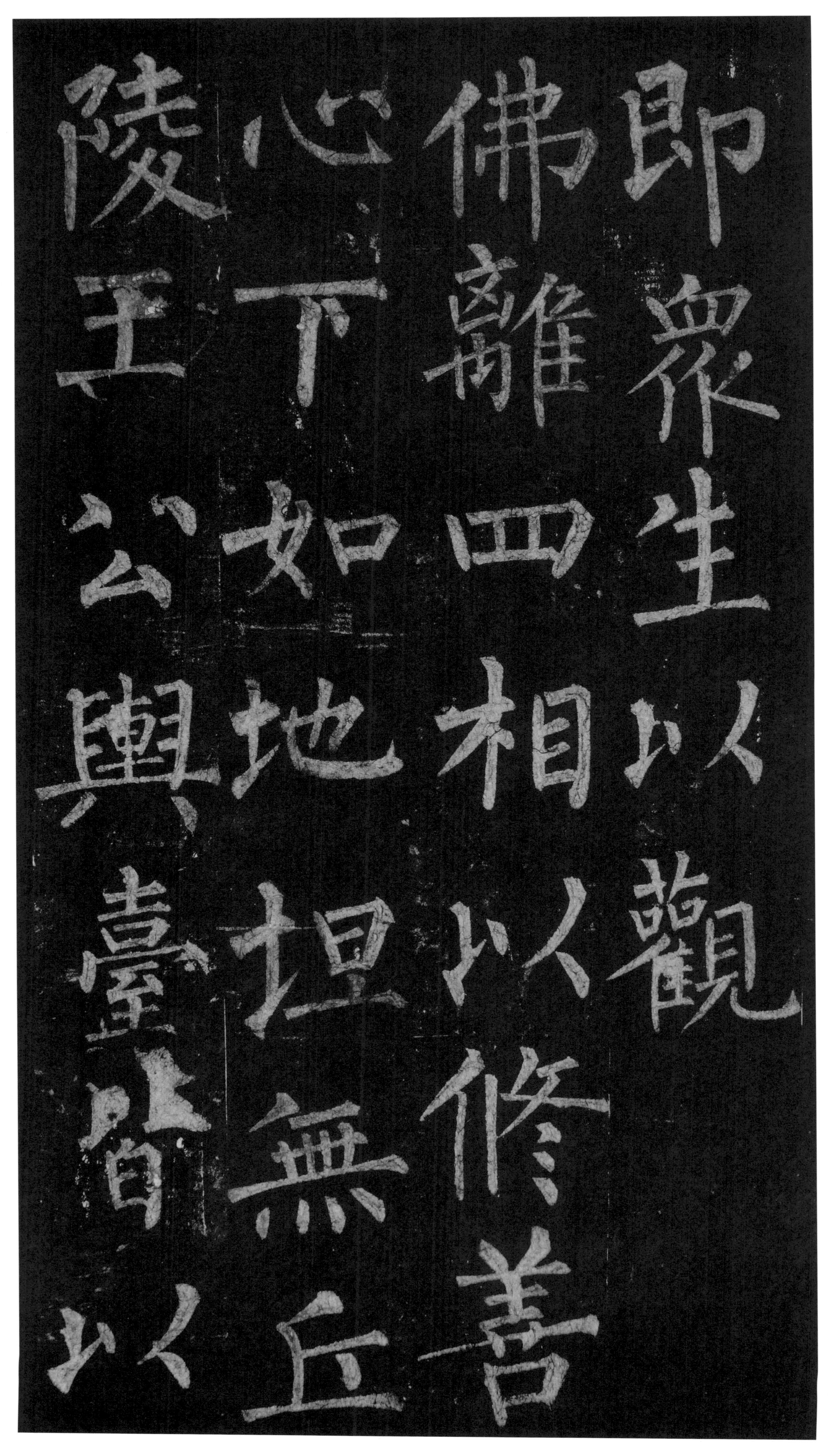

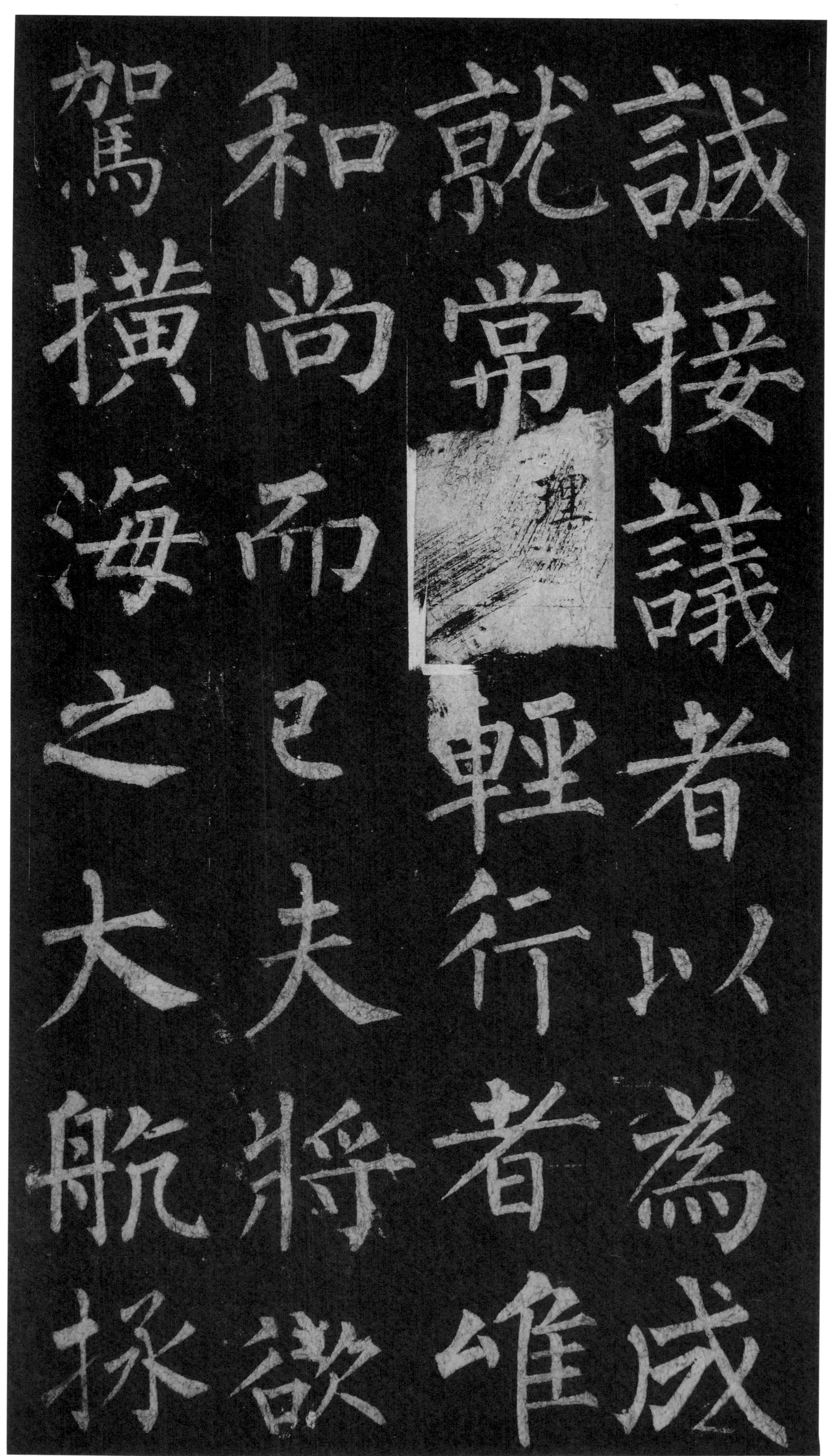

诚接。议者以为成就常不轻行者，唯和尚而已。夫将欲驾横海之大航，拯

迷途于彼岸者，固必有奇功妙道欤！以开成元年六月一日，西向右胁而

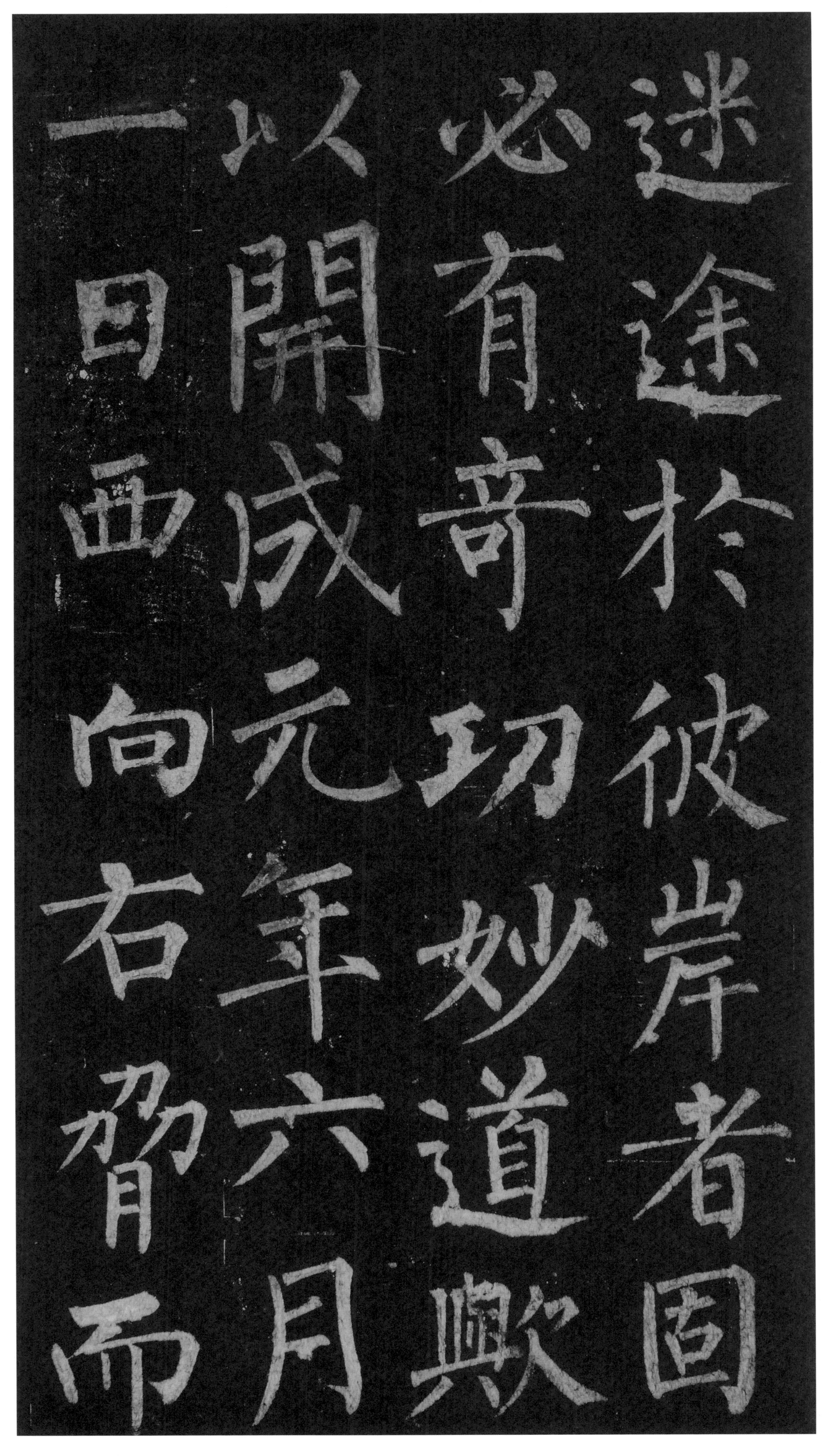

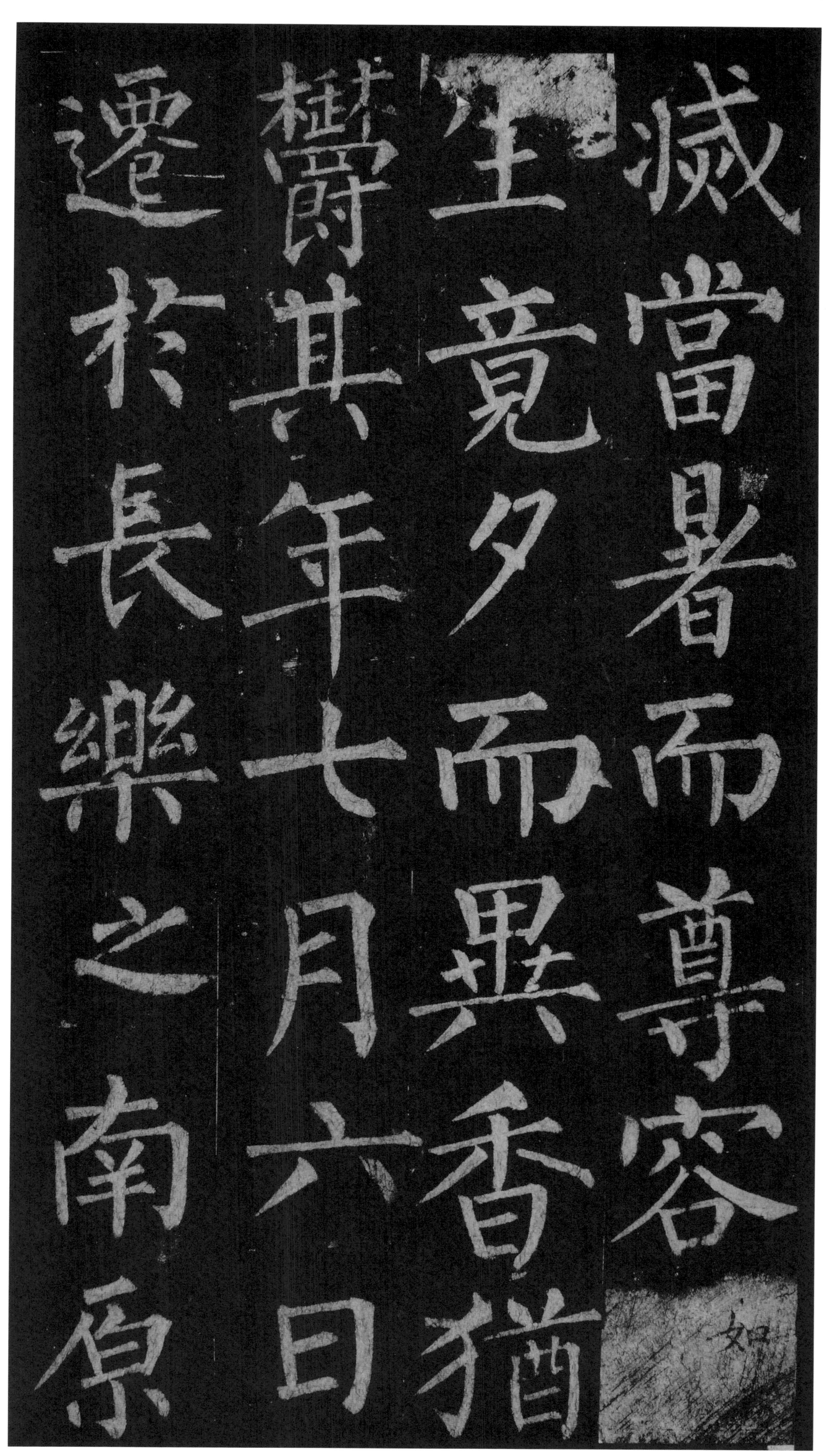

灭。当暑而尊容[若]生，竟夕而异香犹郁。其年七月六日，迁于长乐之南原，

遗命荼（茶）毗，得舍利三百余粒。方炽而神光月皎，既烬而灵骨珠圆。赐谥曰

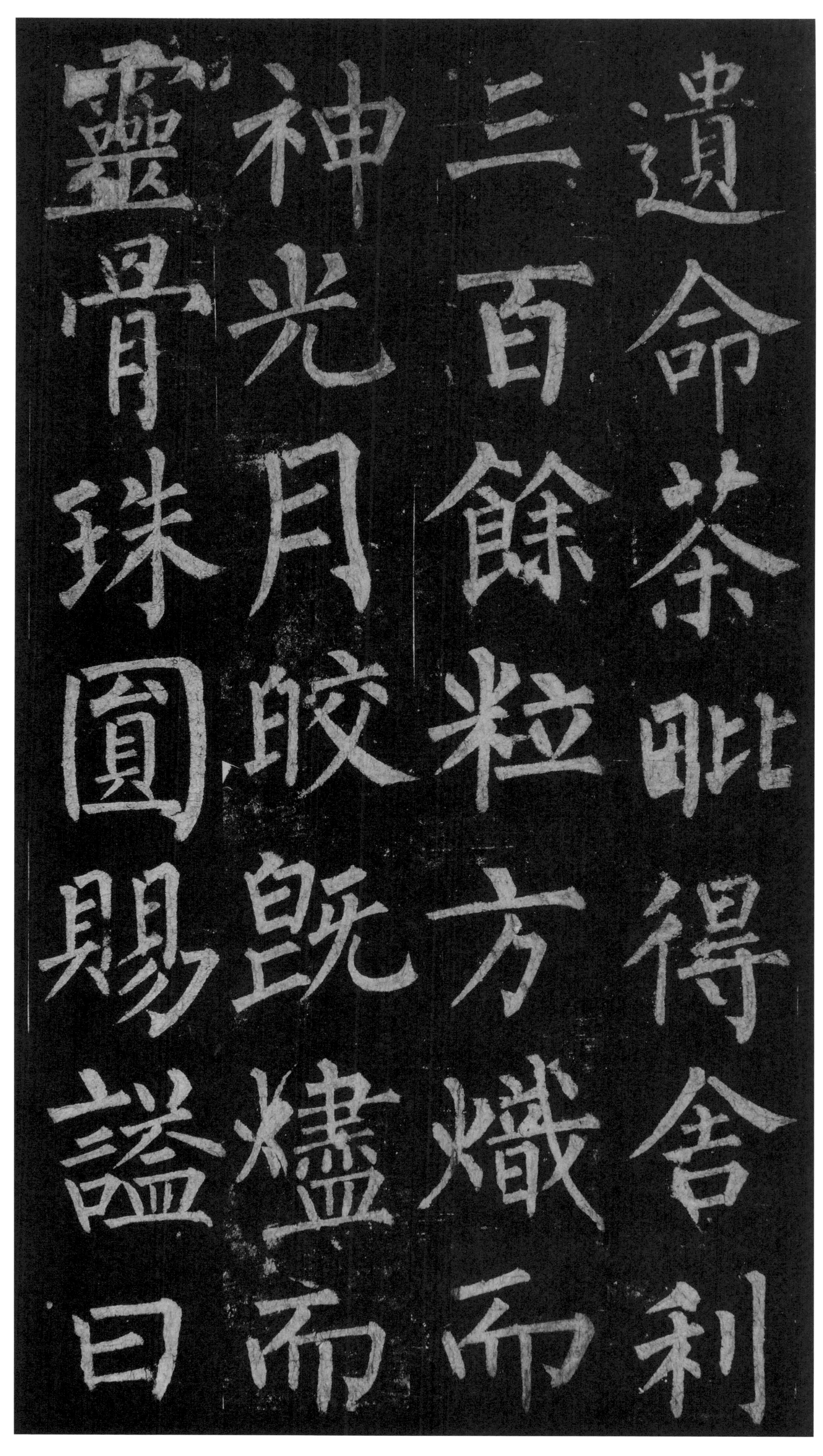

大達塔曰玄秘俗
壽六十七僧臘卌
八門弟子比丘比
丘尼約千餘輩或

「大达」，塔曰「玄秘」。俗寿六十七，僧腊卌八。门弟子比丘、比丘尼约千余辈。或

講論玄言或紀綱大寺脩禪秉律分作人師五十其徒皆爲達者於戲

讲论玄言，或纪纲大寺，修禅秉律，分作人师。五十其徒，皆为达者。於戏！

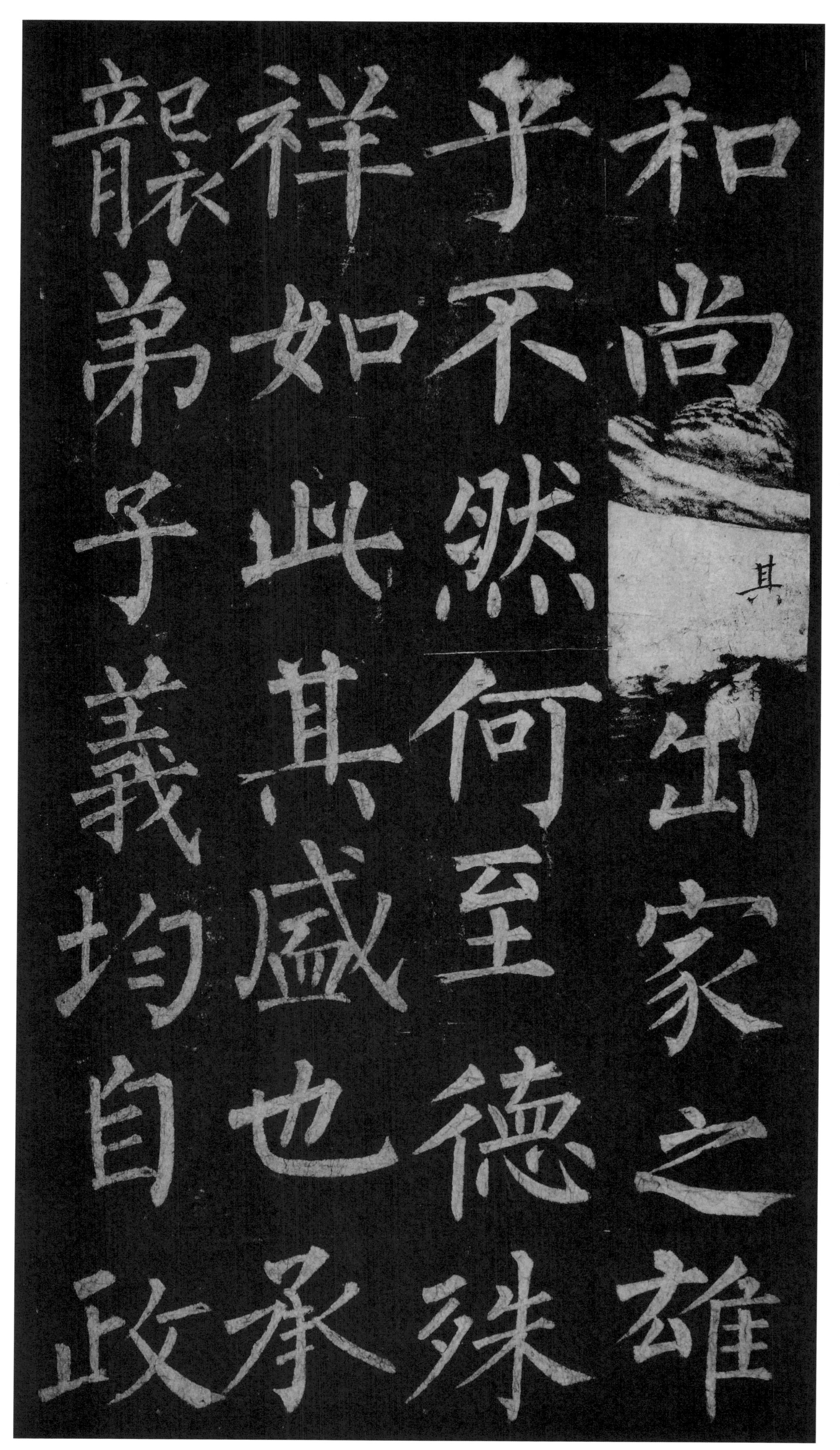

和尚果出家之雄乎！不然，何至德殊祥如此其盛也？承袭弟子义均、自政、

正言等，克荷先业，虔守遗风，大惧徽猷有时堙没，而今阁门使刘公，法[缘]

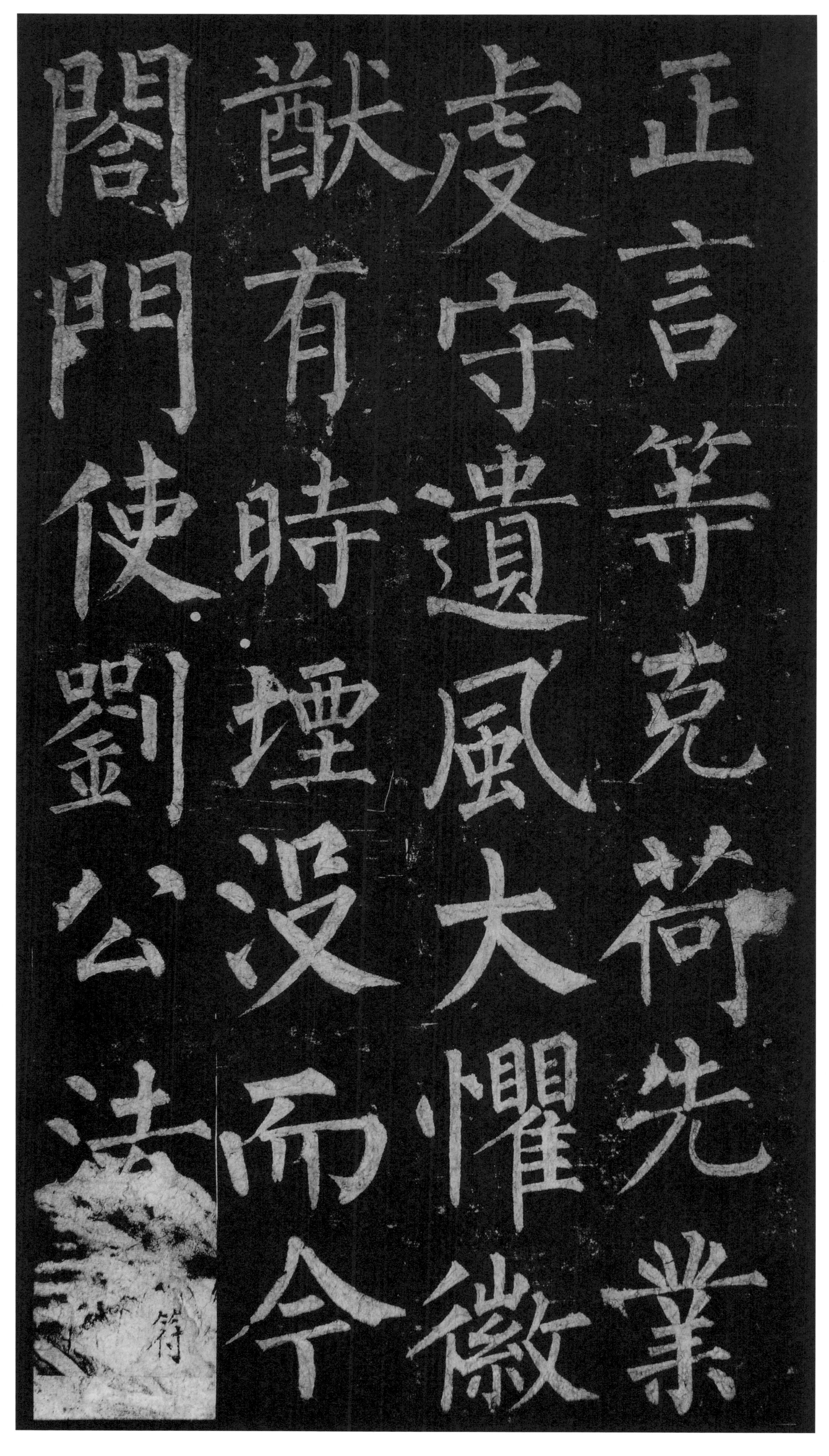

最深道契彌固亦以爲請願播清塵休嘗遊其藩備其事隨喜讚歎蓋無

最深，道契弥固，亦以为请，愿播清尘。休尝游其藩，备其事，随喜赞叹，盖无

愧辞。铭曰：贤劫千佛，第四能仁。哀我生灵，出经破尘。教纲高张，孰

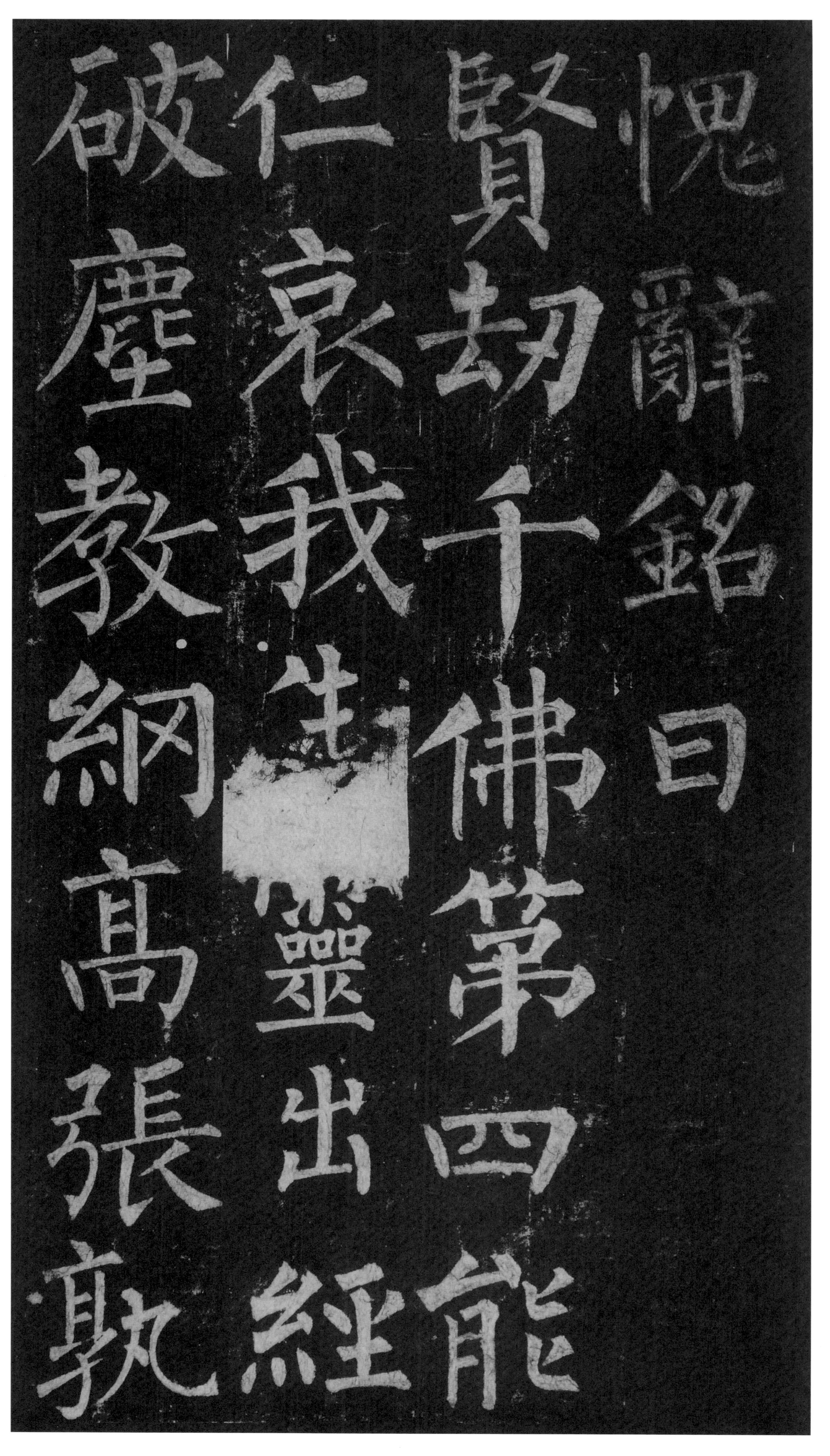

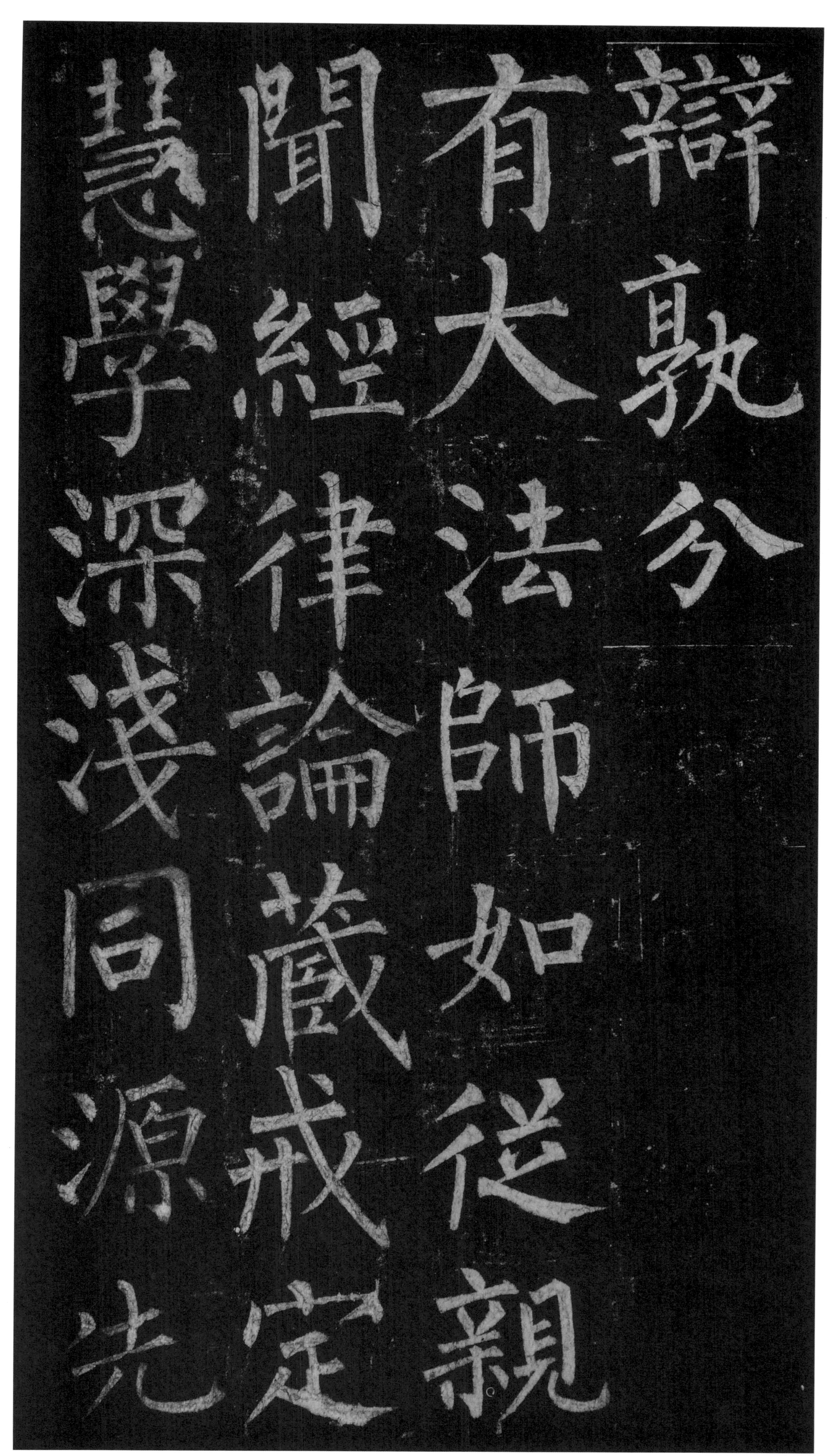

辩孰分。有大法师，如从亲闻。经律论藏，戒定慧学。深浅同源，先

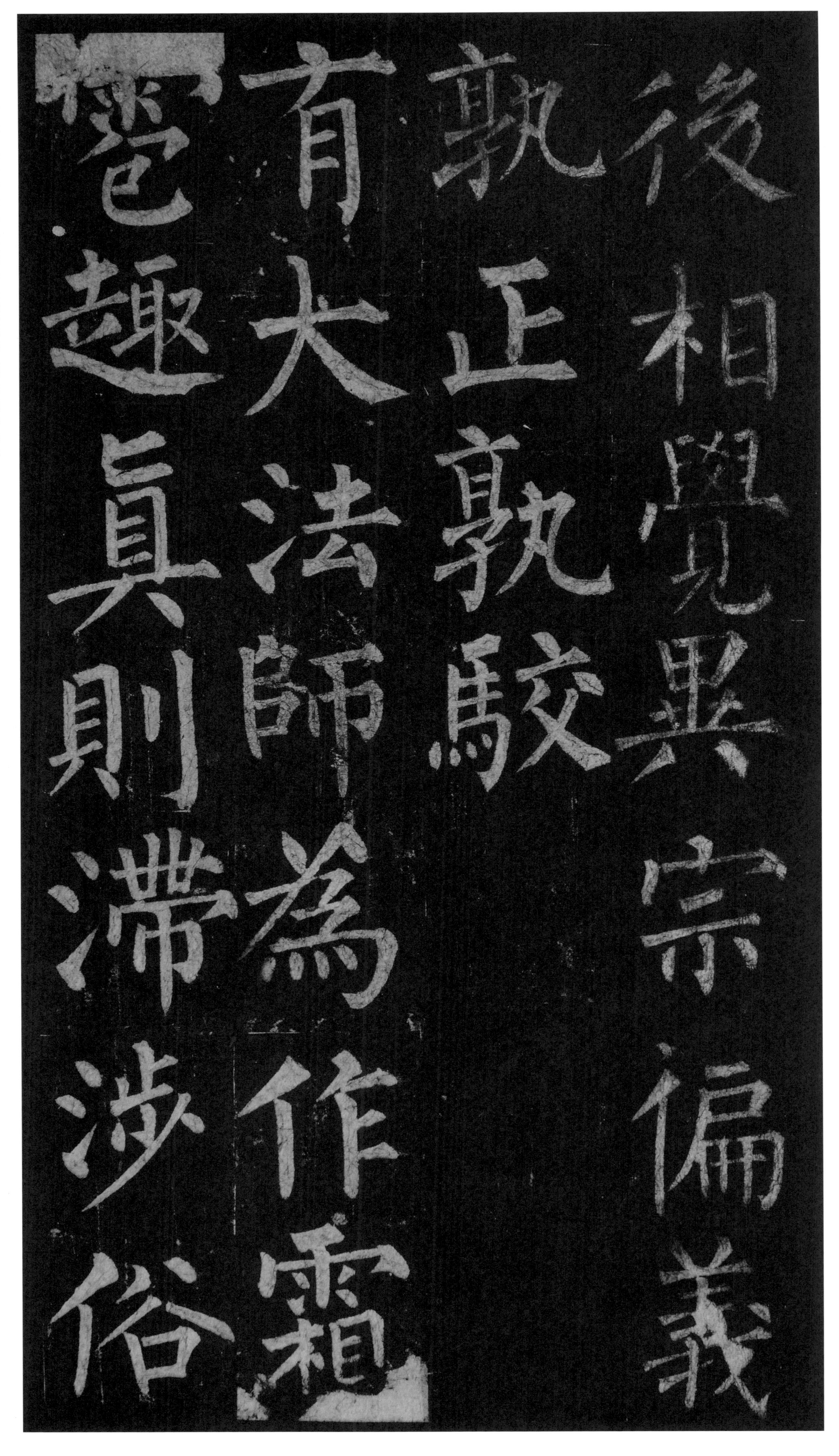

后相觉。异宗偏义，孰正孰驳。有大法师，为作霜雹。趣真则滞，涉俗

則流象狂猿輕鉤檻莫收柅制刀斷尚生瘡疣有大法師絶念而

则流。象狂猿轻，钩槛莫收。柅制刀断，尚生疮疣。有大法师，绝念而游。巨唐启运，大雄垂教。千载冥符，三乘迭耀。宠重恩顾，显阐赞导。

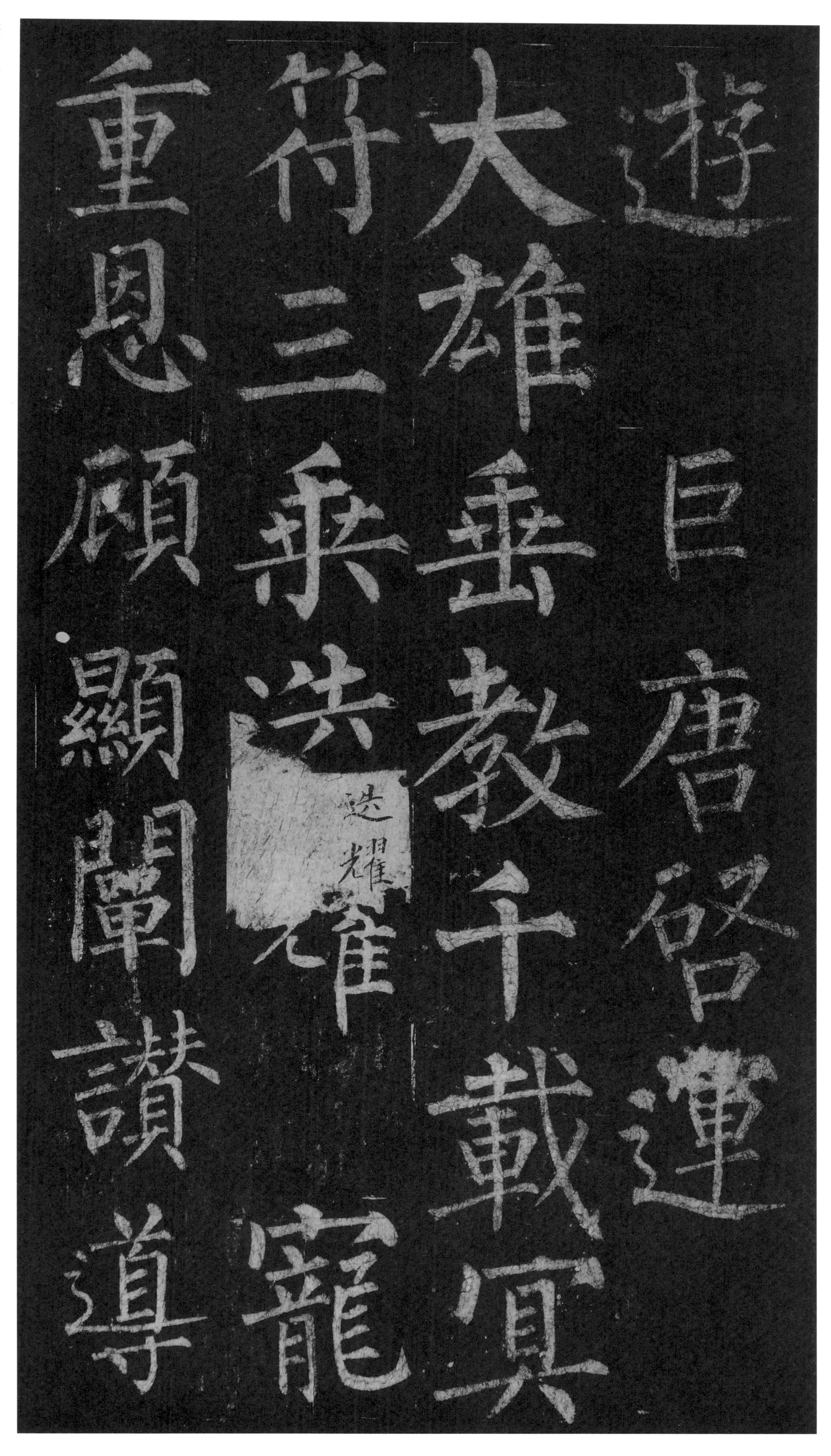

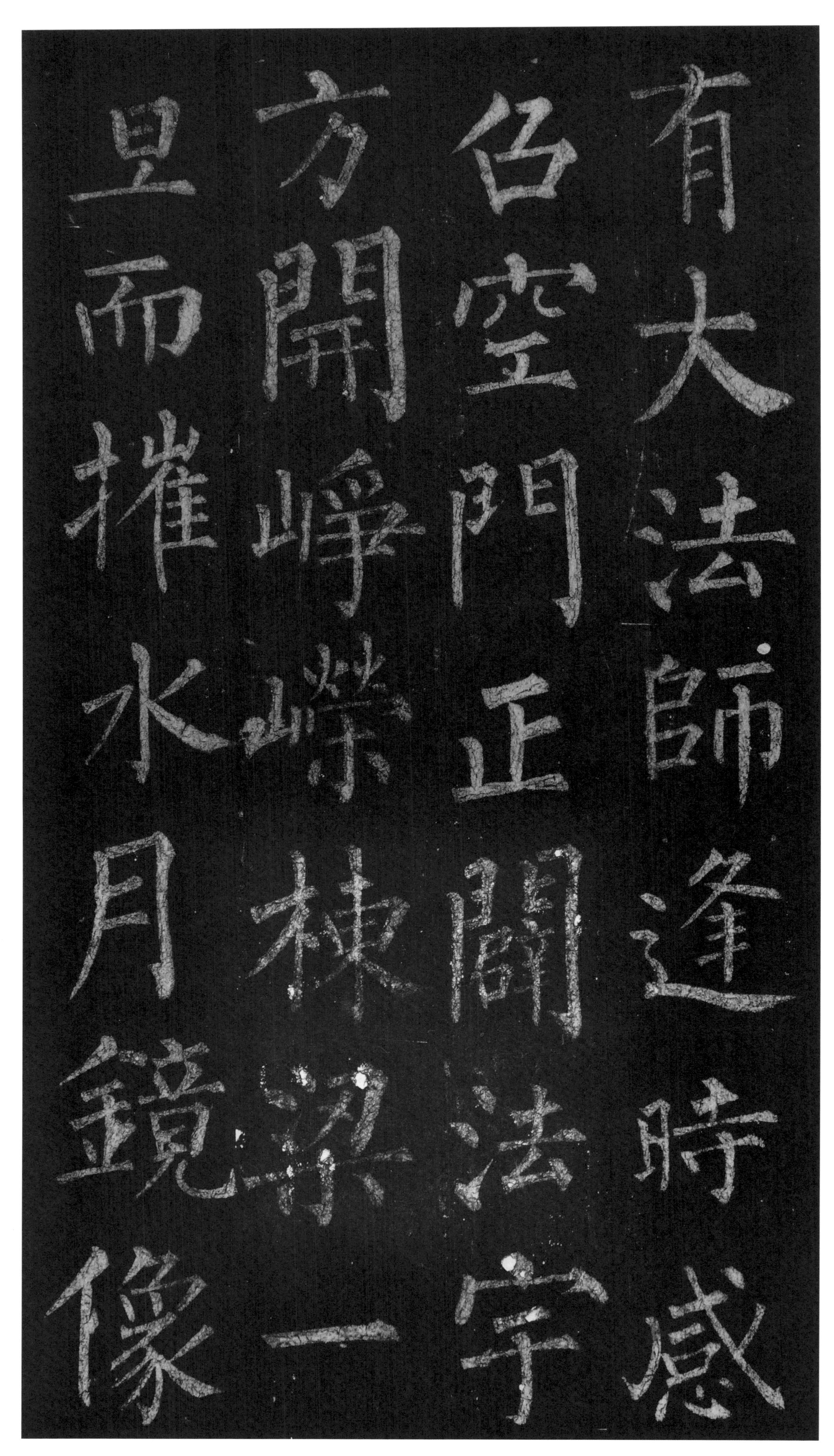

有大法师，逢时感召。空门正辟，法宇方开。峥嵘栋梁，一旦而摧。水月镜像，

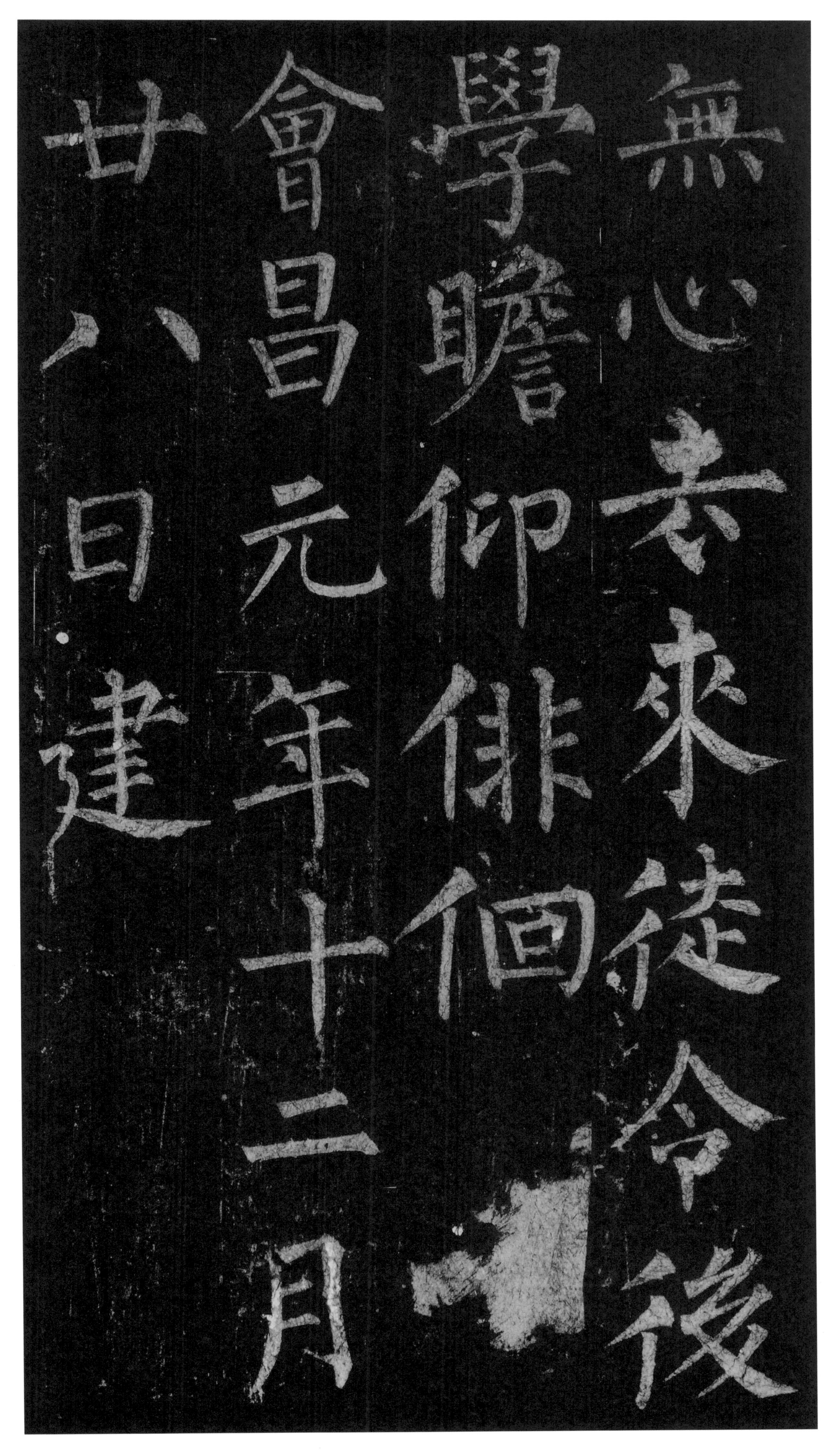

无心去来。徒令后学，瞻仰徘徊。会昌元年十二月廿八日建。

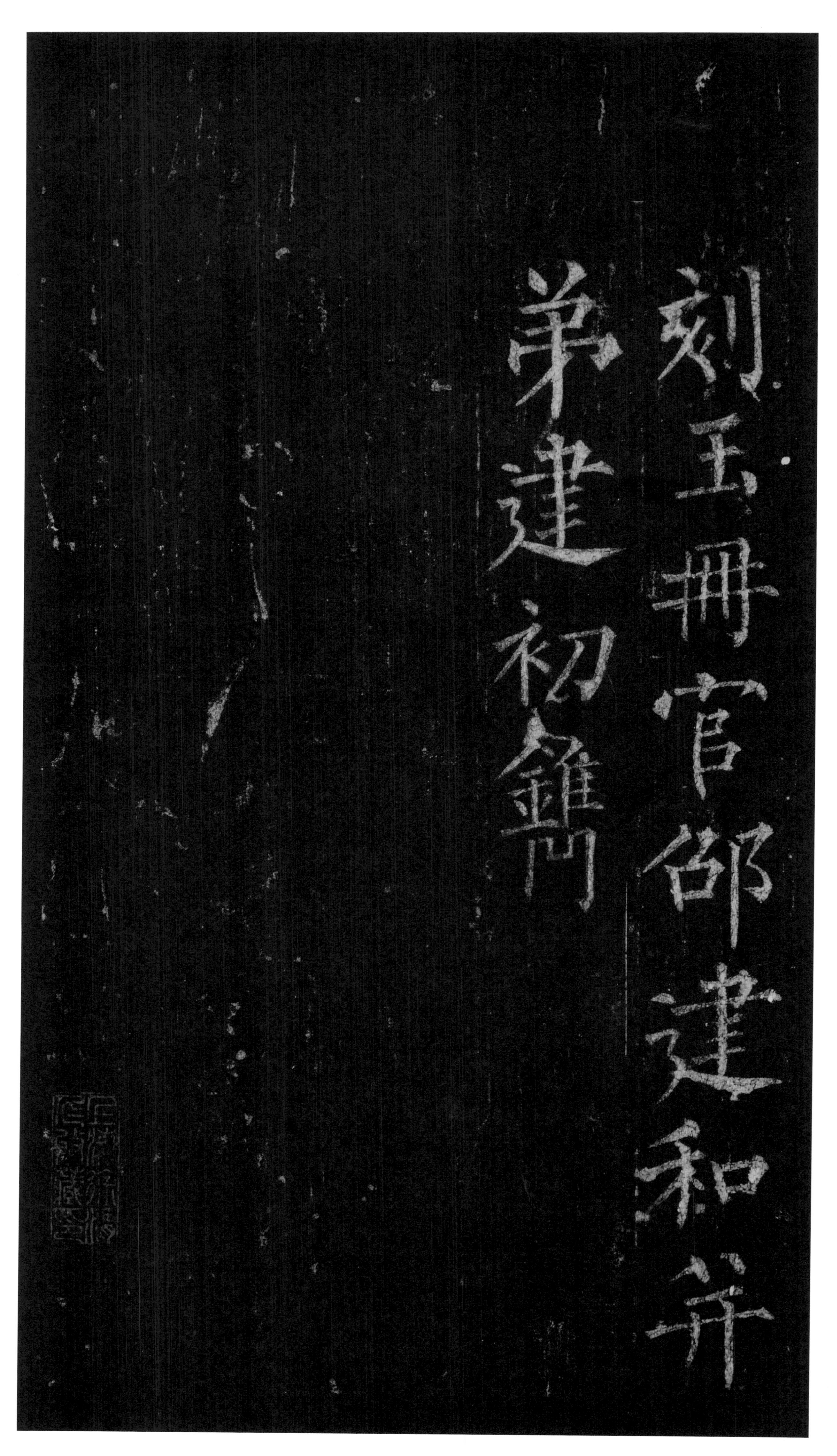

刻玉册官邵建和并弟建初镌。